유럽 대신 다녀와 드릴게요

수정찬의 여행기

수연, 정익, 유찬 쓰다

목 차

이탈리아

마이 페어 레이디, 로마

폼은 일시적이지만 클래스는 영원하다

다시 만난 내 친구, 알레시오

피렌체 베키오 다리 위의 신사들

석양의 베네치아

밀라노 패션 위크

스페인

다시 바르셀로나, 마지막 여행지

바르셀로나의 밤, 벙커에서

제 3장 각자의 길

정익이의 여행

포르투갈

흩어지는 우리, 입대전에도

다시 못 만난다고?

혼자 하는 배낭 여행, 동행도 쉽지 않아

난생처음 대서양을 봤을 때

프랑스

시간은 없는데 욕심만큼 안되는

예술이 너를 자유케 하리라

영국

All or Nothing: Arsenal, However

이 밤이 지나면 떠나보내야만 하나

#스페인

바르셀로나: 맑음, 그깟 '경유지' 때문에,

입대: 위험

바르셀로나 대탈출, 다시 아부다비에

수연이의 여행

네덜란드

오랜만이야 루크

소소한 저녁 파티

파울라가 알려준 암스테르담

스페인

말라게따 해변의 벤치

잠을 자지 않는 도시, 세비야

오렌지 향기, 오랜 친구 같은 발렌시아

끝맺음 그리고 시작을 위한

미안해 폴, 독일은 못 갈 거 같아

바르셀로나 산츠 역

타파스하고 맥주 한 잔 주시겠어요?

제 4장. 다시 한국에서

서로 다른 자리에서

우리가 여행을 기억하는 법

에필로그

프롤로그

 어떤 말을 써야 할까 책더미를 의미 없이 파헤치다 겨우 책상에 다시 앉기로 마음먹습니다. 이렇게 간단한 머리말 하나 쓰는데도 시간이 오래 걸립니다. 하물며 바쁜 일상을 살아가면서 여행을 간다는 것은 누구에게나 쉬운 일은 아니라고 생각합니다. 시간과 돈 그리고 노력까지 필요한 일이기 때문입니다. 오해 마시길 바랍니다. 제가 여러분들의 인생이 바뀌거나 혹은 새로운 깨달음을 줄 정도의 여행을 했기 때문이 아닙니다. 다만 지금껏 경험해보지 못한 코로나 팬데믹이라는 특수한 상황에서, 친구들과 여행하며 들었던 생각과 여러분이 겪을 법한 최악의 상황을 만나버린 후 느낀 감정에 대해 솔직하게 전달하고 싶었습니다.

 글을 쓰면서 감정에 진실해지기 참으로 어렵다는 생각이 듭니다. 아주 가끔, 초등학교 다닐 때 매일 써야 했던 일기장을 펼쳐봅니다. 친구와 싸운 날이라 행복하지 않았음에도 불구하고 '오늘 하루 행복했다'로 마무리되는 일기를 읽은 적이 있습니다. 남들이 보지도 않는 일기장마저 자신에게 솔직하지 못한 내가, 여행에 대한 거짓 없는 감정을 써갈 수 있을지 걱정이 많았습니다. 그럼에도 작업을 하며 여행 내내 일희일비하는 저를 보며 뜻밖의 성찰까지 하는 기회였던 것 같습니다.

시시포스 신화에서 시시프스 왕은 제우스를 기만한 죄로 무서운 형벌을 받습니다. 돌을 산 정상까지 올려놓아도 시작 지점으로 굴러 떨어지기에 무한히 옮겨야 하는 형벌입니다. 돌이 굴러 떨어질 것을 알면서도 무겁게 옮겨야 하는 그의 심정은 어떨까요. 시시프스 왕과 제 인생이 그렇게 다르지 않다고 생각합니다. 여행을 통해 일상으로부터의 도피를 꿈꾸었지만, 막상 저에게 여행은 유의미한 순간의 연속이었습니다. 평범한 사람 중 하나인 저와 친구들의 솔직한 이야기를 통해 여러분도 간접적으로나마 여행의 유의미한 순간을 즐겨 주셨으면 합니다.

2023.2.22

등장인물.

김정익

설레발을 자제하는 현실주의자, 또다시

유럽여행을 꿈꾸고 있다.

황수연

게으르지만 세상 재밌는 건 다하고 싶은 쾌락주의자

조유찬

해야겠다고 생각이 들면 어떻게든 해내는 홍길동

1장 한국

1) 고민하는 건 우리 답지 않아

"진짜 할 거 같으면, 당장 다음 주에 비행기 표부터 끊어."

우린 그렇게 친하지 않았다. 적어도 내 생각엔 말이다. 고등학교 졸업을 앞두고 장난스레 나온 해외여행 이야기에 진지하던 그때부터, 우리의 여행이 시작되었다. 해외 축구를 좋아하던 친구들 사이에서 정익이와 유찬이 그리고 나까지, 우리 셋은 성격도 정말 다르고 취향도 달랐다. 그래도 하나 통하는 게 있다면 결정이 빠르다는 것이다. 해외여행을 가겠다고 정한 그날 밤 이후로, 단시간에 여행 경비를 모았다. 정말이지, 돈을 많이 주는 아르바이트면 밤낮을 가리지 않았다. 아마 스무 살의 겁이 없는 나이라 가능했다. 차곡히 쌓여가는 비행기 표와 축구 경기 티켓들이 우리에게 힘을 주었으리라 생각한다. 누군가 '여행은 특별한 친구를 얻거나 혹은 평생 잃거나 둘 중 하나'라고 했던 말이 생각난다. '새롭지 않고, 즐겁지도 않다면 우리네 인생에 무엇이 특별하겠는가'라는 생각 때문이었을까. 폭설, 질병 그리고 소매치기까지 겪은 우리는, 누구보다도 험난하게 유럽을 여행하면서 꽤 친해졌다. 하나의 자랑거리로서, 또 다른 한편으로는 추억거리로서 자리 잡은 첫 유럽 여행은 항상 그리운 나날이었다.

그렇게 서로 바쁜 삶을 살다 보니 나는 어느새 대학교 졸업을 앞두었다. 각자 많은 일들이 있었지만 적어도 우리에겐 만날 때마다 하나의 안줏거리가 되는 건 21살의 첫 유럽 여행이었다. 그래서인지 우리는 유럽에 안주하지 않고 그 후로도 국내에서도 아름다운 곳들을 많이 돌아다녔다. 하지만 마치 소풍날 엄마가 싸 준 도시락에서 맛있는 반찬을 먼저 먹은 아이의 마음과 같아져, 추운 겨울날 라들러 맥주에 취해 걷던 뮌헨의 밤거리, 그 유럽의 밤거리를 잊기는 어려웠다. 내가 코로나로 인해 스페인에서 어학연수를 급히 마치고 귀국한 이후, 우리는 여간 보기가 힘들었다. 어느 더운 여름날, 단골 순대 곱창집에서 가볍게 만난 우리는 위드 코로나 기사를 접했다. 설레는 마음인지는 혹은 불안한 마음인지 알 수 없지만, 순간 우리 셋은 같은 생각을 했다는 것, 이거 하나는 분명한 것 같다. 우리는 그 길로 유럽 여행을 준비했으니까.

"이번에는 준비해야 할 것도 많고 돈도 없어."

"야, 지금은 돈이 없지, 나중엔 가고 싶어도 시간이 없잖아. 내가 보기에는 지금 아니면 앞으로는 못 가."

나는 웃자고 시작했던 얘기를 다들 이렇게나 진지하게 받아들일 일인가 싶다가도, 정말 지금 아니면 못 갈 것 같다는 생각에 사로 잡혔었다. 그날, 그렇게 정익이와 유찬이하고 집 앞 놀이터 벤치에 앉아 맥주 한 캔에 즉흥적으로 여행 계획에 대해 밤새워 얘기했다. 참 우리다운 결정이라 생각이 들었던지 대략적인 여행 계획이 나올 정도로 다들 흥분했던 것 같다. 길고 길게 느껴졌던 코로나 시대에 무언가 새로운 일이 펼쳐질 것만 같은, 아니 어쩌면 우리가 남들이 못하는 무언가를 하는 것만 같이 느껴졌다. 단지, 앞으로 얼마나 고생하면서 계획을 짜고 여행하게 될지는 누구도 상상 못 했지만 말이다.

2) 우리 가도 되는 걸까?

잊지 못할 이름, 코로나 '19'변이 바이러스-오미크론. 순식간에 정해졌던 두 번째 유럽 여행처럼 변이 바이러스 역시 우리에게 갑자기 찾아왔다.

초여름에 여행 계획을 짜기 시작한 이번 여행은 첫 번째 유럽에 갔을 때보다 더 많은 자료 조사가 필요했었다. 지난 여행과는 다르게 이번엔 '남들과는 다른 여행', 그리고 '후회 없는 여행'이라는 콘셉트로 계획을 짰다. 어디를 가고, 무엇을 먹으며 또 어디에서 자야 할지. 이런 부분은 평상시 은연중에 서로 찾아 놨던 자료들이 많아서 어렵지 않았다. 하지만 코로나와 공존에 대한 막연한 기대감과 친한 외국 친구들이 보내오는 규제가 풀린 해외여행 사진들에 우리는 현실감각을 잊었던 것 같다. 나라별 다른 입국 절차들과 필수 요구 조건 그리고 까다로운 코로나 테스트에 대한 것을 찾아가면서부터 걱정이 쌓였다. 사실 이 부분은 지금 와서도 생각해본다면 출국하기 전날까지 노심초사하는 부분이었고, 실제로 유찬이는 체코로 출국조차 하지 못할 뻔했다.

　가장 큰 문제는 까다로운 유럽의 입국 심사장이 아닌 한국에 있었다. 자식 이기는 부모는 없다지만, 이번에는 정말 나를 이기고 싶어 하셨던 것 같았다. 밤새 매일같이 하던 자료 조사는 하나의 재밌었던 추억으로 생각할 수도 있다. 하지만 출국 두 달 전, 갑작스레 터진 오미크론의 소식에 아빠는 걱정을 가득하셨고 특히 엄마는 정말 방방 뛰실 정도로 여행에 반대하셨다. 평소에는 눈 떠지지도 않는 아침이지만, 매일같이 조간 뉴스에 오미크론 현황을 살폈다. 각 나라의 대사관 공식 홈페이지 게시판은 얘기할 것도 없고, 정익이와 유찬이하고 카페에 모일 때마다 한숨부터 내쉬었다. 노력한들 어찌해 볼 수 없는 사태에 대한 무력감이 느껴졌지만, 이 모습을 부모님께 보여드릴 수는 없었다. 제대로 대안을 들고 설득해도 모자랄 분위기에 나는, 그리고 우리는 걱정하는 모습을 보여 드릴 수 없었다.

"왜 꼭 지금 가야겠어? 왜 지금이냐고!"
"지금 아니면 절대 하지 못할 여행일 것만 같단 말이야."

엄마와 나는 성격이 아주 똑같아서 자주 싸우지만 크게 싸우고 머쓱하게도 빠르게 화해한다. 죄송하게도 이번에는 물러설 수 없는 이유에 한 달간 매일 싸웠던 것 같다. 내가 걱정돼서 화를 내는 엄마, 그리고 지금 아니면 할 수 없는 여행을 가고 싶어 하는 이기적인 나. 대기 줄 없이 수많은 걸작을 볼 수 있는 바티칸, 사람이 없는 오스트리아 벨베데레 궁전, 평상시라면 예약하기도 힘든 유명한 식당들. 도저히 포기할 수 없는 여행이었기에, 나쁜 아들로서 잘못된 용기이지만 떨리는 목소리로 엄마를 계속 설득했다. 이러한 설득에도 불구하고 출국 일주일 전 환전하는 날 전까지, 아니 환전한 돈과 프린트한 많은 입국 허가증을 보면서도 반대하셨다. 이러한 엄마의 마음은, 후에 스페인에서 코로나 양성 판정 후 집에 가지 못하며 뜻밖의 방황을 했을 때 절실히 이해하게 되었다.

2장 우리의 유럽

1) 오스트리아

1. 어제는 서울, 오늘은 비엔나

수정찬 (수연, 정익, 유찬 줄임말)의 첫 유럽 여행은 인천공항에
서 같이 출국했던 기억으로 거슬러 올라간다. 출국 당일 찍어 두
었던 날 것 같은 영상을 볼 때면 한겨울의 서늘했던 날씨, 그리고
피곤하지만 설레게 밤 비행기를 기다리던 느낌이 다시금 들 정도
로 생생했다. 긴장되고 많이 떨렸지만 그래도 안심됐던 한 가지
이유는 셋이 함께 떠났기 때문이었다. 이번 여행은 각자 여행을
할 수 있는 기간도 달랐고, 혼자 여행하며 유럽을 즐겨보고 싶다
는 생각에 특이하게 여행 계획을 짰다. 새해 이전에는 정익이와
유찬이가 먼저 유럽을 출국하고, 나는 새해에 바로 출국하기로 했
다. 2~3주간 같이 여행하며, 개인적으로 가고 싶은 나라에는 따로
여행하다가 귀국하는 계획이었다. 오미크론이라는 변수 속에서 이
번 여행 자체가 우리에게는 도전이었지만, 도전 속에 도전으로 혼
자서 여행하는 것 역시 하나의 재미 요소였다

"그래 조심해서 집 가. 근데 우리 그러면 다음주에 볼 때는 빈에서 보는 거야?"

"재밌네, 오늘은 집 앞에서 보다가 다시 만날 땐 유럽이라니."

해방감. 출국 전 마지막 점검을 위해 학창 시절 매일 가던 학원가에서 만난 날 느낀 솔직한 감정. 매일 오는 게 당연해서 싫던 곳에서, 이제는 다시 떠나는 유럽 여행에 대한 설렘으로 편하게 방문한 이곳. 내 기분을 무엇으로 설명하기에 적합할지 한참을 고민했었다. 이기적이지만 대학생이 되고 난 후 늦잠을 자고 일어나, 등교하는 어린 학생들을 볼 때마다 느꼈던 감정이 그대로 들었던 것 같다. 앞으로도 인생에 있을 수많은 문젯거리 앞에서 적어도 이날은, 매일 똑같은 지루하던 날들과 이유 모를 답답함에 대해 의문의 보상심리로써 또 해방감으로 다가왔다.

다음 날, 유찬이와 정익이는 곧바로 체코로 출국했다. 연일 전해지는 유럽 소식과 사진들이 가득한 채팅창, 눈길을 끄는 건 마스크에 관한 이야기였다. 이때쯤 한국은 오미크론에 대한 뉴스로 사람들이 다시 마스크 구매에 열을 올리던 시기였다. 몸은 한국에 있지만 온 신경이 유럽으로 집중되던 나에게 친구들의 마스크 없이 찍은 사진은 놀라움의 연속이었다. 여행 후, 곧바로 입대를 앞둔 정익이는 최대한 마스크를 계속 쓰려고 노력했지만, 백신도 맞았고 더욱이 코로나에서 회복한 유찬이에게 노-마스크 유럽은 천국이었을 것이다. 새해 해돋이 이후 바로 출국한 나 역시, 오스트리아 빈에 도착하자마자 길거리에서 아무도 마스크를 쓰지 않고 있는 모습에 당황스러웠다. 한국에서는 마스크로 인해 숨도 제대로 못 쉬었지만, 여기서는 슬쩍 벗어버린 마스크와 자유롭게 숨 쉴 수 있다는 사실에 양심 찔리면서 더할 나위 없는 행복으로써 다가왔다.

이스탄불을 거쳐 빈으로 17시간 이상 날아온 나는 옷만 잘 차려입은 거지꼴이었다. 반면 빈이라는 도시는 유럽 특유의 고풍스러운 거리와 청록색의 지붕으로 잘 꾸며져 있는 기억 속 그대로의 모습이었다. 나는 이 아름다운 도시에서 거지 행색은 사양하고 싶었기 때문에 유찬이와 정익이를 숙소에서 보기로 했다. 기분 좋게 따뜻한 샤워를 마친 후, 문밖에서 들리는 잘 알고 또 기다리던 목소리에 문을 열었다.

"너네 보려고 17시간 날아왔다 이 짜식들아."

"지난번에는 서울, 오늘 다시 볼 때는 빈 맞네."

"마스크 벗을 때 눈치 보이긴 했는데, 짜릿하지 않냐."

늙어서는 시간이 없어서 여행을 못 가니 후회 없이 하자는 생각 하나로 이번 여정을 시작한 우리가 다시 모이는 순간, 줄곧 유럽에 있었지만 이제야 진짜 여행을 시작하는 느낌이 들었다. 말이 통하지 않는 타지에서 나를 잘 아는 친구들과 함께한다는 안도감은 누구나 갖지 못하는 잊지 못할 순간이었다.

2. 알프스의 온천

"알프스는 돈 많이 벌어서 다시 오자, 너무 좋다 여기."

 스위스를 짧게 여행하던 중 유찬이가 말했었다. 이 말에 동감하면서도 한편으로는 웃긴 것은 스위스에선 크게 고생했기 때문이었다. 시간과 공기 빼고는 모든 것이 돈인 알프스에서 힘들게 여행하며 드는 생각이 역설적으로 알프스가 좋다는 말에, 나는 도저히 웃지 않고는 배길 수가 없었다. 제네바 공항에서는 특급 관광 열차 시간에 맞추기 위해 침낭을 깔고 공항 바닥에서 노숙했었다. 물가는 비싸, 저렴한 편의점에서 식은 닭다리살로 배를 채웠었다. 숙소는 말할 것도 없이 좁은 방이었다. 험난하게도 여행하면서도 알프스가 좋다고 생각한다는 것이, 이해 못 할 말이면서도 한편으로는 충분히 이해가 갔다.

 고생 이상의 경이로운 알프스의 아름다움. 진부한 표현이지만 이것 이상의 표현은 사치라고 생각한다. 짧은 여정 중 가장 고생한 여행이었지만, 뇌리에 강하게 박힌 알프스 여행은 이번 여행 계획을 짜면서 금전적인 골칫거리였다. 스위스를 다시 갈 만큼 여비는 부족했기 때문이었다. 다행스럽게도 친한 이탈리아 친구의 알프스 여행에 관해서 알려준 뜻밖의 조언은 우리에게 큰 힘이 됐다. 오스트리아 외츠탈과 이탈리아 돌로미티가 유럽인들이 스위스보다 더 선호하는 알프스 명소라는 사실(이탈리아 친구의 개인적 의견)에. 포기할 수 없던 알프스와 여비, 두 마리의 토끼를 잡은 기쁨에 소리쳤다.

체력. 여행 계획을 짜면서부터 여비 걱정 이외에 염려하던 부분은 단 한 가지였다. 지난 첫 유럽 여행에서는 패기만 가득했던 21살이라 그랬던지, 하루건너 하루 여러 나라를 이동하며 휴식 시간은 비행기에서 자는 시간이 전부였다. 결국 나는 영국 맨체스터에서 축구 경기 이후 급하게 먹은 로스터리 치킨에 급체하여 스페인과 프랑스에서는 요양에 가까운 여행을 하며 지낸 기억이 생생했다. 같은 실수를 두 번 반복하면 실력이라는 말이 있듯, 같은 실수를 반복하지 않기 위해 같이 다니는 여행 중 유일하게 시간이 여유로웠던 오스트리아 알프스 여행을 힐링으로 만들고 싶었다.

"얘들아, 인스브루크에서 알프스 보면서 온천이나 하자."

"거기가 어딘데, 뭐 하는 동네야?"

"첨 들어보는데 어디?"

"인스브루크!"

유럽을 많이 여행해본 사람이라면 얼핏 들어봤을 알프스의 유명 동네, 인스브루크. 알프스로 온천을 하러 가자는 예상치 못한 말과 인스브루크라는 지명에 유찬이와 정익이는 처음엔 모두 고개를 가로저었다. 짐작 건대 수많은 할 거리를 놔두고서 온천을 하러 간다는 것과 생소한 지역에 거부감이 들었으리라 생각한다. 그도 그럴 것이 대중교통편만을 이용하는 우리에게 버거운 이동 거리와 오직 온천에만 몰두한 일정이 반갑지는 않았을 것이다. 하지만 새롭지 않은 여행이 재미가 있겠냐는 나의 설득과 서로가 그동안 보아온 긍정적인 별종 같은 기질에 대한 믿음이었는지, 쉽게 설득된 유찬이와 정익이는 나를 따라 빈 중앙역에서 인스브루크로 가는 열차에 몸을 실었다.

아름다운 크리스마스 장식이 그대로 남아 나를 반겨주던 빈의 아름다운 거리와 국립 오페라 극장을 지나가는 새벽 트램에 지친 몸을 이끌고 올라탔다. 유럽 대도시만을 여행해도 충분하디 충분한 여정인데 구태여 내가 너무 욕심이 내지는 않았는지 걱정이 들었다.

이런 걱정이 심해질 무렵 나타난 인스브루크 초입 알프스의 안개, 맑아도 모자랐을 날씨에 안개로 보이지도 않는 산이라니. 덤덤한 척 속으로는 걱정했었고, 숙소 체크인 차 내린 인스브루크역에서 비 오던 하늘에게는 무심함마저 느껴졌다. 설상가상으로 열려 있어야 할 호텔은 관리인이 문을 잠그고 나가는 바람에 비 오는 추운 인스브루크에서 비 맞은 생쥐 꼴로 추위에 떨어야만 했었다. 겨우 열린 호텔에 짐을 다 던져두고 바로 외츠탈 행 열차에 올라탄 나는 정익이와 유찬이에게 진심으로 미안한 마음이 들었다. 둘은 아무 말도 하지 않았지만, 속으로는 여러 잡생각이 들었을 것이 분명해 보였다. 안 풀리는 날엔 무엇을 하든 안 풀린다고 하듯 작은 외츠탈 역에 도착하자마자 온천으로 가는 버스 역시 놓쳤다.

작은 외츠탈 역사의 밖은 고요했다. 버스도 놓치고 다시 올 때까지 시간이 남아 버려 걱정하던 찰나, 유찬이는 알프스 풍경 사진을 찍기 시작했다. 근심만 가득했던 오늘 하루 일정과는 다르게 웅장한 모습을 보여주며 사진 찍히기를 바라듯 그렇게 알프스는 이제야 우리에게 모습을 드러냈다. 사실 계속 보였던 알프스의 모습이지만 시간에 촉박해져, 또 상황이 안 풀려 내 눈엔 보이지 않던 알프스의 모습을 보니 문득 이런 생각이 들었다. 여행 며칠이나 지났다고 목적을 잃고 다급 해져버린 것인지 알다가도 모를 일이었다.

모든 일이 상대적이듯, 완벽할 수는 없다. 아무리 기차 시간을 고려하고 예약했어도 호텔 문이 닫힐 줄 누군들 알았을까. 날씨 예보를 본들 산의 안개를 누가 예측할 수 있을까. 그저 지나간 일은 지나간 대로 그 위치에서 즐기면 그만이었을 것을 혼자 전전긍긍하면서 걱정하지는 않았나 생각이 들었다.

"야! 버스 왔다!"

아무도 밟지 않은 광활한 눈밭, 그 뒤에 조그마하게 연기가 보이는 온천 그리고 이런 모든 것을 감싸 안은 오스트리아 알프스. 이것이 온천 앞 버스 정류장에 도착하자마자 마음이 한결 가벼워진 이유임에 분명한 것 같다. 도시에서만 자란 우리에게 알프스의 높은 산맥이 둘러싼 큰 눈밭은 차갑지 않은 따뜻함으로 다가왔었다. 그랬기에 예약 시간이 늦었음에도 추운 줄도 모르고 눈싸움하다 겨우 온천에 도착했으니까 말이다.

골프를 연습하다가 보면 99개의 공을 잘못 쳐도 마지막 1개의 공만 잘 맞으면, 그 행복한 기분에 다시 골프채를 잡는다는 진담이 반 섞인 농담이 있다. 오늘 하루 99개의 공을 놓쳤지만 작은

외츠탈의 알프스 온천은 마치 1개의 잘 맞은 공과 같았다. 추운 알프스 바람에 못 이겨 겨우 들어간 뜨끈한 야외 온천탕에서 물의 온도보다 더 좋았던 건, 당연하게도 풍경이었다. 온천을 하며 보는 풍경을 좋아하기에 항상 여행 계획에 온천욕을 넣지만, 나를 도통 이해하지 못하는 것 같던 유찬이와 정익이 역시 이번만큼은 내가 맞았다는 것을 인정해야만 했다. 이렇게 본인이 모르는 걸 알기 위해 구태여 하지 않아도 될 모험을 같이해주고 있는 두 녀석에게 고마움을 느끼면서 인생에 같은 경험을 공유하는 친구가 있음에 감사함을 느낀다. 내가 서 있는 위치에서도 충분한 즐거움을 누리면서 혹은 찾아가며 사는 것. 이번 여정은 이것 하나 알기 위해 떠난 여정일지도 모른다는 생각이 들었다.

3. 잘츠부르크의 밤은 낮보다 길다

정익이와 유찬이하고 떠난 첫 유럽 여행을 회상할 때면 가장 기억에 남는 곳은, 뮌헨이다. 같이 언어 공부하던 뮌헨 출신의 친한 친구가 언젠가 한 번 내게 물어봤다. 특별한 거 없고 재미없는 도시인데, 왜 그렇게 좋은 추억이 있는지. 참으로 '독일인'같은 질문이었지만, 사실 대답하기 어려웠다. 맞는 말이었으니까. 뮌헨에 있는 건물과 음식은 유럽 어딜 가나 볼 수 있었다. 막상 이렇게 글로 써보니 정말 특별한 게 없는 도시긴 한 것 같다. 그럼에도 불구하고 가장 기억에 남는 이유는 단 하나였다. 행복은 별 게 아니라 다 같이 맥주에 취해 걷던 눈 오는 밤거리가 될 수도 있다는 걸 알려 줬으니까.

"우리 교양 교수님이 잘츠부르크는 무조건 가보래"
"잘츠부르크에 뭐가 있는데?"
"몰라, 유럽에서 가장 아름다운 도시라고 하던데?"

알프스 노을 보며 출발한 기차는 저녁 늦게 잘츠부르크에 도착했다. 누가 그랬는지, 여행의 절반은 날씨 운이라는 건 정말 맞는 말이다. 잘츠부르크 여행도 인스브루크처럼 뜻하지 않은 여행이었지만 맑게 갠 하늘 덕분에 우리 셋은 산뜻하게 호텔을 나설 수 있었다. 미라벨 정원으로 가는 길, 딱히 지도도 보지 않고 대충 감으로 또 발길이 가는 곳으로 갔었다. 우리가 여행으로부터 배운 게 있다면, 모든 길에는 잘못된 길은 없다는 것. 조금 돌아서 미라벨 정원에 도착했지만 뭐 어떤가. 갓 나온 빵을 사 가는 할아버지, 출근하는 오스트리아의 아버지 그리고 활기차게 장사를 시작하는 아주머니를 보는 재미도 쏠쏠했다.

미라벨 정원의 아름다움도, 모차르트의 천재성도, 호엔잘츠부르크성의 낭만도 좋지만 그래도 내 배를 채워주는 무언가가 있었다면 금상첨화였을 것이다. 사실 이쯤부터 정익이는 몰라도 적어도 나는 유찬이에게 말하지 못할 성이 단단히 나 있었다. 수정찬(수연, 정익, 유찬)의 여행에 공통적인 규칙이 하나 정도 있다면, 그건 배고프게 여행하지 말게 하자라는 것이다. 잘츠부르크의 아름다운 풍경도 좋거니와 배는 그래도 채우면서 보게 해줘야 하는 게 추운 겨울 여행의 인지상정 아닌가. 온종일 먹은 게 크리스마스 마켓에서 겨우 사서 먹은 핫도그와 뱅쇼 한 잔이었고, 너무 걸은 나머지 얼음장이 돼 버린 내 발은 더 이상 움직일 힘이 없었다.

정익이는 항상 계획을 세우는 친구이고, 유찬이는 무계획에서 계획을 만드는 친구라고 생각한다. 보통 예상 밖의 놀라움은 유찬이가 주곤 했었다. 나는 이날 유찬이의 '놀라움'을 믿어 의심치 않아 모든 일정을 따랐었다. 하지만 가고자 했던 유명 식당의 손님이 많아 어쩔 수 없게 문밖으로 나올 때, 정익이와 내 어두운 표정을 읽고선 긴장하던 유찬이의 모습이 아직도 생생하다. 지금이야 우리끼리 웃으면서 회상하곤 하지만 이때가 우리 여정에 있어 가장 극적인 순간이 아니었을까.

'식당 안에 있는 사람들이 저를 적대적인 눈빛으로 봐야 해요.'

 알아두면 쓸데없는 신비한 잡학사전, 일명 '알쓸신잡'이라는 프로그램을 보면 김영하 소설가가 해외에서 맛집을 찾는 방법에 대해 언급한 내용이다. 나도 역시 나름의 기준으로 많은 맛집을 찾아냈다고 자부하지만, 저 말만큼 정확한 표현이 있을지 생각하곤 한다. 아우구스티너 양조장, 유찬이의 구원자. 반신반의하며 따라간 잘츠부르크 대표적인 양조장에 들어간 순간, 맛집임을 확신했었다. 단 한 명도 보이지 않는 동양인 관광객들과 우리를 보는 적대적인 눈빛(지극히 주관적 의견). 이보다 더 완벽할 수 있을까. 아우구스티너 양조장 안에는 전통적인 홀들이 있었고 도자기로 만든 묵직한 1.5L 잔에 계속 따라주는 맥주와 원하는 만큼 사 갈 수 있는 바비큐의 냄새가 우리를 반겨주었다. 잡기도 힘든 맥주잔을 서너 잔 마신 우리는 다음 날 여행은 안중에도 없었다. 버스 막차 시간이 언제 인지도 잊었다. 먼 타지의 맥줏집에서 우리의 수다는 수많은 독일어 사이에 묻혀 누구도 알 수가 없으니까 더 좋았다. 오래간만에 제대로 마시는 맛있는 맥주가 좋았다. 그저 '좋았다'라는 표현으로 행복한 감정을 쓴다는 게 아쉬울 정도였다. 조금 전

가고자 했던 식당에서 먹지 못하게 됐을 때 나와 정익이의 표정을 보고 긴장되어 간절히 여기가 맛있으면 했다는 이야기. '이 집이 맛없으면 어떻게 해야 하나'라고 생각한 우리도, 모든 게 좋아서 웃음이 나왔다. 이 저녁 식사는 더 이상 평범한 한 끼가 아니었다.

시간이 얼마나 지났을까. 서둘러 나온 밖이었지만, 놓치기 싫은 순간이었다. 평범한 나날 중에 가끔 찾아오는 이런 순간은 최대한 즐겨야 한다는 걸 우린 잘 알고 있었다. 그 길로 우리는 낮에 갔던 전망대로 갔다. 이날의 마지막 손님으로써 올라간 전망대는 고요 했었다. 아무도 오지 않는 전망대 그리고 크게 튼 노래. 취해서 얼굴이 새빨개진 유찬이와 정익이는 노래를 부르고, 그 뒤로는 호엔잘츠부르크성과 구시가지의 야경이 빛나고 있었다. 나에게 이 순간은 지금까지도 머릿속에 한 장면의 사진처럼 남아 있다.

눈 오는 잘츠부르크를 걸으며 집 가는 길. 함께했던 첫 유럽 여행지 뮌헨에서 그랬듯, 우린 다시 눈 오는 밤거리를 취해서 걸었다. 되뇌어본다. 특별한 것 없던 뮌헨이 왜 그렇게 나는 좋았을까. 잘츠부르크에서 해답을 찾은 것 같다. 소소한 이런 순간들을 최대한 즐기자. 잘츠부르크의 밤은 낮보다 길다.

2) 이탈리아

1. 마이 페어 레이디, 로마

　삼고초려. 유비가 간절한 마음으로 제갈량을 설득하기 위해 삼세번 그의 집을 방문한데서 유래한 말이다. 로마로 이동하는 당일, 유비의 간절한 심정으로 비행기에 올랐다. 첫 번째 시도는 유로 2020 축구 대회 일정으로 로마로 가는 여행이 무산되었다. 두 번째 도전했을 땐, 코로나로 인해 모든 일정이 어그러져 결국 항공권을 취소해야 했다. 이번에도 못 간다면 평생 못 갈 도시인 것만 같아 긴장되었다. 그러나 불안한 생각은 계속하는 게 아니라던 어른들 말 하나 틀린 게 없었다.

　전날 흥에 취해 과음한 우리 중 정익이가 탈이 났다. 괜찮다고 했지만, 괜찮을 리가 없었다. 잘츠부르크, 빈 그리고 이탈리아 로마로 이동하는 장거리 이동, 표정이 내내 어두웠다. 흥에 취해 내가 더 권한 맥주가 문제이지는 않았을까 걱정되었기에 사실 미안한 마음이 먼저 들었다. 이탈리아는 여행 일정을 가장 길게 잡은 나라인데, 문제는 바로 여기가 정익이 담당이라는 것이다. 첫 유럽 여행 때 나는 그만 탈이 나버려 바르셀로나에서 친구들에게 가이드를 제대로 해주지 못했던 미안한 기억이 있다. 그랬기에 이탈리아로 가는 비행기에 스스로 자책하며 올라탔다. 앞으로의 여행에 차질이 생긴다면 정익이의 잘못보다는 나의 잘못이 큰 게 자명해 보이는 순간이었다. 불행 중 다행. 바르셀로나에서 탈이 났던 잊지 못할 기억과 오랜 기간 여행을 같이 여행을 다녀서 인지 우리 셋 모두 놀라울 정도로 다양한 종류의 약을 가져왔다. 당시 급체로 고생한 나도, 스페인 약국에서 언어가 통하지 않아 고생했다던 두 친구도 배운 게 확실히 있었던 모양이다.

　로마에 도착한 후, 미리 검색해 놨던 전통 있는 파스타 레스토랑을 찾아가야 했었다. 파스타는 무슨, 나는 상관없었지만 적어도 이 둘은 누구보다 뜨끈한 국에 밥을 말아먹어야 하는 낯빛이었다. 다행히 예약해 놨던 숙소 근처에 유명 한인 식당을 찾을 수 있었다. 한인정, 맛있을 수밖에 없는 이름의 한식당 아닌가. 이 믿음의 한식당 이름 앞에서 유명 파스타보단 두 친구의 위장을 달래 줄 음식이 필요했다. 으슬으슬하게 추운 밖을 돌아다니며 걱정이 될 때쯤, 멀리 태극기가 휘날리는 한인 식당이 보였다. 한국에서는 평소엔 보이지도 않는 태극기가 타지에서는 어찌 이리 잘 보이는지 항상 신기하기만 하지만 우린 그럴 여유 없이 들어갔다.

김치찌개 둘, 된장찌개 하나. 우리의 주문을 주방에서 들은 한인 사장님이 반갑게 우리를 맞아 주셨다. 코로나, 오미크론으로 유럽으로 여행을 오겠다는 관광객이 없는데, 평소에 보지 못한 젊은 친구들이 주문하니 퍽 당황스러우실 만했다. 근 몇 년간 기존에 거주하고 계시던 한인 분들만 찾아오셨다는 말씀에 우리는 걱정스러운 마음으로 지금 여행하기는 괜찮은지 여쭤보았다.

"아유 참 잘 왔어! 청년들."
"지금 관광객들이 없어. 이럴 때 로마로 와야지, 지금 아니면 언제 여행하겠어."

걱정 많은 여정 중, 탈이 난 친구를 끌고 온 한식당에서 이런 위로를 받을 줄은 상상 못했었지만, 활기찬 사장님 덕분에 많은 시름을 덜어 놓는 순간이었다. 그리고 그 순간 우리가 아는 냄새가 맛있게 풍기며 음식이 나왔다. 뜨끈한 국은 뚝배기 그릇에 나왔고, 스테인리스 밥공기는 너무 뜨거워 난로 같았다. 보글보글 소리가 이렇게 반가운 적이 또 있을까 싶어 국물 한 숟가락 뜨는 순간, 어느 때보다 편안한 마음이 들었다. 메뉴판에 쓰여 있었던 고향의 맛, 그 자체였다. 이전까지 운이 없었던 이탈리아 여행길과 뜻하지 않은 사고에 내 잘못인가 하는 자책감에 빠져있을 때, 이런 뜨끈한 음식으로 위안되는 나를 발견하면서 항상 계획했던 여행만이 여행의 재미가 아니라 이렇게 이상한 사고들이 벌어져 계획이 깨지면서 만들어지게 된 에피소드들이 진짜 추억이지 않을까 싶었다.

2. 폼은 일시적이지만 클래스는 영원하다

　파리 증후군. 파리를 처음 방문하는 외국인 관광객이 파리가 예상했던 것만큼 미학적이지 않아 실망감을 겪는 현상을 말한다. 몇 년 전 나는 로마에 방문할 예정이었다. 그래서인지 친한 이탈리아 친구는 내게 몇 주간 지겨울 정도로 이탈리아의 찬양 아닌 찬양을 했다. 이에 지쳐 버린 나는 '파리 증후군'처럼 로마에서 내가 실망한다면 모든 레스토랑 비용은 다 그 친구가 내도록 했다. 놀랍게도 이탈리아 친구 역시 이런 어처구니없는 내기에 응했다. 비록 내기는 코로나로 인하여 하지 못하게 되었지만, 여전히 자신 있는 목소리로 언제든 내기는 유효하다고 가끔 내게 문자를 보내왔다.

"정익아, 로마 일정표 봤는데"
"콜로세움하고 트레비분수하고 우리가 다 아는 거 아니야?"
"일단 가보고 얘기해보자고들"

　나와 유찬이가 만든 여행 계획표는 우리가 평소에 잘 알지 못하는 장소들로 빼곡했다. 하지만 정익이가 보내온 여행 계획표에는 누구나 다 아는 콜로세움, 트레비 분수, 스페인 광장과 같은 유명 관광지가 있었다. 특히 셋째 날 일정표에는 단 세 글자, 바티칸이라는 단어만이 적혀 있었다. 여행을 오랫동안 같이 하다 보니 자연스레 알게 되는 친구들의 성향이 있는데, 정익이는 누구보다 여행 일정표를 계획적으로 짜면서 시간 낭비 없이 여행하는 것을 추구하는 것을 잘 안다. 그런 그이기에 그저 믿는 마음으로 흐린 날씨의 로마에 대해 걱정하며 숙소 밖을 나섰다.

의심까지는 너무 갔고 의아함 정도는 있었지만, 그것은 한순간 믿음의 확신으로 바뀌었다. 콜로세움 근처 지하철역에서 나오면서 부터 보이기 시작하는 콜로세움의 웅장함에 무슨 미사여구로 일정 표를 작성하겠는가 싶었다. 추적추적 빗방울이 떨어지기 시작하는 콜로세움, 그 모습은 영광의 로마 제국 그 자체였다. 별다른 설명을 듣지도 않았고, 제대로 구경 역시 시작조차 하지 않았지만, 눈길을 사로잡아버린 장엄한 건축물 앞에서 세 명은 시간이 가는 줄도 모른 채 넋을 놓았었다.

추적추적 내리던 비는 어느새 폭우가 되었다. 로마의 시초가 되는 언덕인 포로 로마노로 향하던 우리는 춥고 바람이 거칠게 부는 포로 로마노 언덕 정상에 겨우 올라갔다. 해외 관광객이 서울을 평가할 때, 가장 좋은 점으로 산을 통해 볼 수 있는 자연과 현대적인 도시의 조화라고 한다. 폭우가 기세게 내리치던 포로 로마노 언덕 정상에 올라섰을 때 보이던 로마의 진풍경은 현대적인 도시의 모습이 보이지 않는 과거 영광의 로마 그 자체 안에 내가 있는 듯한 느낌을 받을 수 있었다. 얼마나 멋진 일인가 생각하면서도 과거로의 시간 여행을 한 듯한 느낌을 주기 위해 들였을 그들의 노력에 경외심마저 들었다.

3. 다시 만난 내 친구, 알레시오

몇 년 전 발렌시아에서 같이 스페인어를 배운 이탈리아 친구가 있다. 항상 웃음이 많은 친구는 이탈리아 문화에 관해서는 누구보다 자부심이 넘쳤다. 처음에는 거만해 보이기도 했지만, 누구보다 자기네 문화에 대한 이해와 사랑이 넘쳐났다. 그래서 가끔 이 젊은 이탈리안을 놀리기 위해 나는 같은 반, 프랑스 친구에게 '아무래도 음식은 이탈리아보단 프랑스가 더 나은 거 같다'라고 싸움 아닌 싸움을 부추기는 장난을 할 때가 있었다. 웃으면서 시작하는 논쟁거리였지만 쉬는 시간 15분이 금방 지나갈 정도로 항상 재밌는 볼거리였다.

모든 길은 로마로 이어져 있다고들 하는데, 그 당시까진 나는 아직 한 번도 이탈리아를 가보지 못했다. 알레시오는 충격을 받은 나머지 이탈리안 특유의 손동작을 보이며 믿을 수 없다는 듯이 고개를 가로저었다. 사실 수많은 나라 중에 이탈리아 하나 안 간 것이 그렇게 큰 대수인가 싶어 그 정도로 이탈리아에 가야 하나 반문했다. 다시 들리는 '맘마미아'. 이탈리아 여행을 빼놓고 유럽 여행을 했다고는 할 수 없다고 말을 하길래 그 즉시 나는 그와 내기했다. 이탈리아를 여행하며 '맘마미아' 적이지 않거나, 예상보다 내가 더 실망한다면 나에게 저녁을 사주기로. 내가 진다면 알레시오에게 미슐랭 레스토랑이라도 데려가주겠다고 그렇게 내기를 했지만, 많은 일들로 인해 시간이 훌쩍 지나버렸다.

'오랜만이야! 수연, 결국 로마에 왔구나.'
'내가 진정한 카르보나라를 알려 줄게, 이따 만나!'

이미 첫 목적지였던 콜로세움의 경이로움에 녹다운이 되어버린 나는 알레시오에게 내기에서 졌음을 통보했다. 웃기게도 놀랍지도 않다는 말과 함께, 본인도 지금 로마에 있으니 저녁 식사는 가능할 것 같다는 메시지를 받았다. 진정한 카르보나라가 무엇인지 알려주겠다는 말과 함께 자동차를 끌고 갈 것 같으니 우리의 위치를 보내라는 말에 나는 베네치아 광장에서 만나자고 문자를 보냈다.

정익이는 이날 이탈리아 유명 축구팀 AS 로마와 유벤투스와 경기가 있어 스페인 광장 앞에서 나와 유찬이와는 헤어져 다른 여행자와 함께 경기를 보러 갔다. 남겨진 우리는 카페에서 오전부터 잔뜩 맞은 비로 인해 눅눅해진 코트, 그리고 무스탕을 벗어둔 채 잠깐 눈을 붙였다. 사실 기진맥진해 기절했다고 하는 것이 더 맞는다고 생각한다. 알레시오는 여타 유럽인들과 마찬가지로 만나자는 약속은 있었지만, 정확한 시간과 장소를 문자로 보내주지 않았다. 나 역시 유럽인들의 이런 시간과 장소가 불명확한 약속에 익숙해져 있었지만, 유찬이는 걱정이 되는지 재촉하는 것 같았다. 이런 그의 맘을 알았는지 베네치아 광장에 곧 도착한다는 알레시오의 문자가 왔다.

"이게 얼마 만이야 로마 놈아!"
"진짜 얼굴 한번 보기 어렵네, 로마에 잘 왔어"
"인사해 여기는 알레시오, 그리고 여기는 내 친구 유찬이야"
"반가워 난 유찬이야!"

알레시오는 차를 끌고 베네치아 광장에 도착했음을 알렸다. 창문을 내리고 들리는 그의 독특한 웃음소리에 같은 사람임을 단번에 알 수 있었다. 코로나로 인해 스페인에서 한국으로 귀국할 때 얼굴 보고 인사 한번 못한 것이 그렇게 맘에 걸렸는데, 마음이 뭉클해지는 순간이었다. 타지에서 생존 영어 하나로 버티며 살아갈 때 많은 도움을 준 친구를 여행 중에 보는 기쁨. 그동안 여행하며 느껴보지 못했던 감정이었다.

차 안에서 그동안 무얼 하며 지내왔는지부터 남자들이 하는 여자 친구에 관한 시시콜콜한 이야기까지, 오랜만에 만나는 친구라 긴장했지만 그새 편안한 마음으로 얘기를 이어갔다. 그는 아버지 회사에서 통역 업무를 도맡아 일해오다가 최근에는 사진작가로서도 열심히 활동 중이라는 말에 놀라움과 함께 대학 수업 듣기도 벅찬 나 자신을 반성하는 마음이 동시에 들었다. 그 사이 우리 셋은 알레시오의 추천 레스토랑에 도착했다. 입구에서부터 생면을 뽑는 아주머니와 영어 간판 하나 없는 메뉴판에서 맛집임이 본능적으로 느껴졌다.

더욱 좋았던 것은 언어 걱정할 일이 없었다는 것이다. 그동안 뭐가 무엇인지 알지 못하고 인터넷 검색해서 찾아보던 날들에서 이탈리아인이 추천하는 메뉴로 코스를 시켰다. 관찰레, 노른자, 후추 그리고 파르마지아노 치즈만이 들어가는 정통 카르보나라의 근본 있는 꾸덕꾸덕함에 유찬이와 나는 놀랐다. 알레시오의 계속되는 카르보나라에 대한 강의가 지겨울 법도 했지만 콜로세움과 트레비 분수, 판테온 등등 로마의 폭력적인 경이로움에 기가 죽은 나는 카르보나라 역시 인정하지 않을 수 없었다.

식사 후 날은 추웠지만, 로마에 온 이상 카페 꼰 판나를 보여주고 싶다며 알레시오는 나와 유찬이를 데리고 로마 구석구석 곳곳의 광장들을 설명해주며 산책에 나섰다. 사실 알레시오 본인도 로마의 유적은 너무 많아 다 알지 못한다는 은근한 자랑과 함께, 겨울밤 찬 공기를 맞으며 산책했지만, 마스크 없이 로마의 밤공기를 맞는다는 재미에 추운지도 모르고 걸었던 것 같다. 에스프레소로 뜻밖의 소화를 하고 난 후 우리에게 보여줄 곳이 있다고 당장 가자는 말에 가지 않을 이유가 없었다. 이때쯤 정익이 역시 축구 경기를 마치고 다시 합류했다.

90년대 세기말 감성처럼 스피커를 크게 튼 차, 겨울임에도 활짝 열린 창문들. 무릇 유럽의 청년들이라면 노래 크게 틀고 밤거리를 빠르게 달려야 한다는 알레시오의 이상한 지론과 함께 우리 넷은 먼저 콜로세움에 다시 갔다. 로맨틱 데이트 코스여서인지 주변의 많은 꽃 상인을 제치고 보게 된 콜로세움은 아름다웠다. 저녁은 특별히 불빛으로 인해 아치의 사이사이가 은은한 주황색이 입혀지는 광경에 낮에 보았던 그 모습보다 더한 압박감으로 다가왔는데 거부하고 싶지 않은 모습이었다. 일이 잘 안 풀릴 때면 가끔 저녁에 콜로세움을 찾아온다는 알레시오의 말에 헛웃음이 나오면서도 부러웠었다. 차 타고 5분 거리가 콜로세움이면 정말이지 매일 올 수도 있을 것 같다는 느낌이 들었다. 콜로세움의 야경을 뒤로하고 로마의 유명 패션 회사 펜디의 본사까지 보고 돌아오는 길. 역시나 노래를 크게 틀고 창문을 열면서 도로를 달릴 때, 마스크 없이 이러던 때가 문득 언제인지도 기억이 안 나지만 이렇게 숨만 크게 쉬어도 참 행복하다는 생각이 들었다.

해외 나와서 언어가 통하지 않을 때, 나를 진심으로 도와주었던 알레시오와 내 친한 친구들이 만나 이것저것 대화하는 모습이 보기 좋았고, 같이 밥 한 끼 하면서 와인 한 잔 마시는 시간이 고마웠다. 그렇게 나와 정익이 그리고 유찬이의 기억 속에 알레시오의 요란한 스피커가 달린 차는 언제까지나 기억될 것 같다.

4. 피렌체 베키오 다리 위의 신사들

흔히들 '신사'라고 한다면 무슨 이미지가 떠오르는가? 나는 이탈리아 남성들의 맞춤 정장과 정갈한 머리 그리고 따뜻한 매너를 떠올리곤 한다. 그래서인지 돈을 조금씩 벌기 시작하면 서부터는 되도록 클래식 분위기의 옷을 사려고 노력했다. 물론 이탈리안 미남들과는 간극이 있는 사람이라는 걸 인정하지만, 적어도 그러한 분위기를 가지고 싶은 사람이었으면 하는 바람이 있다. 그리고 피렌체 여행은 나와 유찬이 그리고 정익이에게 신선한 충격으로 다가왔다.

"야, 저기 저 두 나이 든 신사분들 봤어?"
"너무 멋진데."
"내일은 우리도 갖춰 입고 나오자, 쪽팔리지 않게."

피렌체에는 베키오 다리가 있다. 베키오 다리(Ponte Vecchio)는 이탈리아 말로 '오래된'다리라는 뜻이라고 한다. 고대 로마서부터 아르노강의 위와 아래를 이어주는 다리였다고 하니 오래됐다는 그 이름이 영 틀린 것은 아니었지만, 그래도 이 다리는 이름 그 이상의 가치를 보여주는 듯했다. 1345년 조토의 제자였던 건축가 타데오 가디가 설계한 다리는 수 세기 동안 피렌체 정부의 허가 아래 상점의 확장이 허용되었다. 가죽 상점이 있었던 14세기와 달리 16세기 메디치 가문의 최고 권력자 코시모 1세의 권력욕에 의해 베키오 다리 상점들은 금은 공방으로 바뀌게 됐다. 그래서인지 난 다리를 보자마자 사람의 욕망이 그대로 담겨있는 살아있는 다리와 같은 느낌이 불현듯 들었다.

아르노강의 해 질 녘. 우피치 미술관을 지나가면서부터 뉘엿뉘엿하게 해가 지기 시작했는데, 베키오 다리 위를 걷다 보니 어느새 노을이 무지개 파장을 내면서 아르노강의 평화로운 모습을 보여주었다. 잔잔하게 흐르는 강 위로 카누를 타는 사람. 강가에 걸터앉아 따뜻한 음료를 마시는 연인들의 여유로운 일상. 관광 중인 나도 순간에는 마치 피렌체에 살던 주민처럼, 매일 강가에 나와 여유롭게 노을을 보는 사람인 것처럼 자연스레 같이 분위기를 즐기고 싶었다.

'이탈리아 남자의 멋이 무엇인가'하는 질문의 정답에 관해서 나는 단언컨대 피렌체 베키오 다리 위에서 찾았다고 말하고 싶다. 베키오 다리의 금은 공방들로 인해 밝은 거리보다 더 빛이 나 보였던 것은 맞춤 정장을 입은 이탈리안 중년 남성들의 신사 같은 '멋' 스러움이었다. 그들은 멋이 무엇인지 가르쳐주듯 무심하게 우리 옆을 지나갔다. 순간 우리 셋은 누가 말할 것도 없이 저절로 멈춰 서서 찰나에 보았던 중년 남성들을 뒤돌아서 유심히 관찰했다.

"진짜 말도 안 된다."

"어떻게 저런 색깔의 정장이 있을 수가 있어?"

"아니 핑크 정장을 입는다고?"

상식 이상의 '멋'이라는 것에 아르노강의 평화로운 노을보다 우리는 방금 지나친 중년 남성들의 패션 감각과 도전 정신에 토론할 수밖에 없었다. 피렌체에 도착해 피곤한 몸을 이끌고 하루는 대충 입어도 될 거라고 하던 겸손치 못한 나태함에 대한 반성이었고, 그들의 수준에 놀라움을 느꼈다. 라자냐 가게를 찾아가는 길에도, 음식을 먹으면서도 우린 서로 잡지에서만 보던 이탈리안 남성의 '멋'과 '신사'란 무엇인가에 대해 열띤 의견을 내놓았다. 내가 어렴풋이 가지고 있던 '신사'의 이미지에 정말 딱 맞는 사람을 보고 나를 돌아보니 추레한 몰골과 복장이 아닐 수가 없었다.

피렌체의 야경을 보러 가는 길, 전망대가 꽤 멀리에 있어 버스 정류장으로 걸어가고 있었다. 여느 유럽의 작은 골목거리가 그러하듯 좁은 인도와 돌들이 가득한 길에 여행객으로 보이는 한 여자가 본인 몸만 한 캐리어를 끌고 가고 있었다. 우리 앞 동네 청년들로 보이는 무리가 도와주겠거니 하며 굳이 신경 쓰지 않았다.

웬걸, 청년들은 여자 여행객을 빠르게 앞질러 무심하게 지나쳐 가
버렸다. 놀라긴 했지만, 우리도 초행길에 시간이 늦어 미안하지만
역시 그녀를 지나쳐 갔다.

"돌아가는 길에 다시 만나면 진짜 도와주자."
"그래. 이 정도면 도와주라는 신의 뜻이지."

시간은 늦었고, 여러 이유로 버스 역시 타기 애매한 상황이었다.
이미 피렌체 두오모에서 피렌체 전경에 감탄을 받은 우리는 굳이
야경까지 보러 가지 않아도 되겠다 싶어 포기하는 길이었다. 그렇
게 돌아가려 마음을 먹은 순간, 설마 지금까지 그 여행객이 캐리
어를 힘겹게 끌고 가는 길인가 싶어 다시 그 여자를 본다면 같은
여행객의 처지를 아는 입장으로써 도와주자고 우리는 마음을 모았
다.

그렇게 길을 돌아가는 길, 아까 그 여자가 보였다. 미국에서 온
우리 또래의 젊은 여자는 피렌체에 공부하러 왔고, 처음으로 셰어
하우스로 가는 길이었다고 설명했다. 바퀴 네 개 중에 두 개가 이
미 박살 나 있었고, 그녀의 핸드폰은 데이터는 터지지도 않는 데

다 심지어 숙소의 주소 역시 지도에 대충 표시된 것을 캡처해 놓은 것이 전부였다. 그래도 이 젊은 미국인의 피렌체에서 첫날은 운이 좋았던 것이, 우리에게는 누구보다 길을 잘 찾는 정익이가 있었고 무거운 캐리어를 들 수 있는 남자가 둘이나 더 있었다는 것이다. 평상시라면 우리 역시 일정이 있고 시간이 아깝기에 굳이 시간 낭비라 보이는 이런 도움을 주지 않았을 것이다. 하지만 오늘 우린 '신사'의 멋스러움을 다리에서 보았다. 저렇게 되고 싶다고도 생각했고 작게나마 열띤 토론도 했다. 그런 우리에게 이 상황은 도와주어야만 하는 일처럼 보였다. 그렇게 젊은 미국인 여자는 안전히 숙소에 우리와 도착했다. 연락처를 나눈 우리는 가끔 소셜 미디어에서 보이는 그녀의 사진을 볼 때마다 나름의 신사다운 매너를 보여줬지 않았느냐며 쑥스럽게 자만하고는 한다.

5. 석양의 베네치아

유럽 친구들에게 가끔 어디가 실망스러웠는지 물어보곤 했다. 흥미롭게도 유독 자주 언급되는 이름 중 하나는 '베네치아'였다. 낭만의 도시, 사랑의 도시, 운하의 도시 등등 도시를 특정하는 많은 별칭이 있는 도시임에도 비싼 물가와 많은 관광객, 좁은 길과 같은 동종의 이유로 여행객들이 실망을 많이 하고 가는 장소라는 생각이 들었다. 피렌체의 아름다운 기억을 두고 베네치아로 가는 기차 안, 걱정 반 기대 반의 심정으로 베네치아 여정의 계획표를 다시금 체크했다. 산 마르코 광장, 플로리안 카페. 우리가 들어보았을 법한 장소들을 제치고 눈에 들어왔던 것은 부라노 섬이었다.

"정익아, 부라노 섬은 뭐 하는 곳이야?"
"노을이 그렇게 아름다운 곳이라 길래"
"지금까지 우리가 본 노을이 몇 번인데 자신 있어?"
"일단 한번 가보고 나서 얘기하셔들."

처음 듣는 생소한 섬의 이름에 걱정도 잠시, 기차는 베네치아에 가까워질 때쯤부터 바다가 보이기 시작했다. 이윽고 바다 위 섬과 육지를 연결하는 하나의 실 같은 기찻길을 따라 섬에 도착했다. 지도상으로만 본다면 예수님의 기적과 같이 바다를 갈라 걷는 듯한 모습이었다. 기차에 내리자마자 맡을 수 있었던 바다의 짠 내음과 역을 나오자마자 보이는 보트로 가득 찬 운하를 보니 베네치아에 온 기분이 물씬 들었다.

들뜬 우리의 기분과는 다르게 베네치아의 숙소까지 가는 길은 험난했다. 캐리어에 인격이 있다면 사죄를 해야 할 정도였던 돌길의 연속. 이런 험한 길도 문제였지만 아무래도 인공적으로 만든 섬에 작은 상점들과 골목길로 이어진 도시다 보니 핸드폰의 지도 앱으로도 우리의 방향을 찾기가 여간 힘든 것이 아니었다. 그동안 유럽의 골목길에 단련되고 이상한 숙소도 찾아가며 단련된 정익이었지만, 베네치아라는 운하 도시는 그에게도 벽차 보였다.

운하에서의 버스라 불리는 페리를 타고, 골목골목 방황한 끝에 숙소에 겨우 도착했더니 우리를 맞이한 것은 좁은 폭의 계단 위 4층 높이의 호텔 건물이었다. 얼마나 친절한지 좋은 공기 맡으라고 가장 높은 층에 있는 방을 배정받은 우리는 이번 여행을 위해 무겁게 준비한 캐리어를 온몸으로 들고선 계단을 올랐다. 이미 험난한 길을 걷고 꼭대기 층 호텔 방에 지친 우리는 더 이상 힘들 것도 없겠지 싶었지만, 놀랍게도 환영의 도시세를 거하게 요구하는 호텔 주인의 말에 그만 피식 웃고 말았다. 왜 실망스러운 도시인지 나에게 1시간도 채 되지 않고 설명한 듯한 느낌을 받아버린 이후, 셋 다 녹다운이 되어버려 침대에 벌러덩 누워 버렸다. 다음 일정이 어떻게 되건 도착하는 것만으로도 피곤해져 버린 도시는 처음이라 짧지만, 낮잠이라도 필요했다.

짧은 휴식 이후 정익이가 늦었다며 곧장 선착장을 향해 뛰어가기 시작했다. 잘츠부르크에서는 유찬이가 밥도 안 먹이고 여행시키더니, 베네치아 와서는 정익이가 밥도 안 먹이고 이제는 뛰게까지 시킨다는 생각에 어이가 없으면서도, 서로 피곤한 상태에서 괜한 말은 하지 않는 것이 싸우지 않고 여행하는 현명한 방법인 것

67

같아 괜한 말은 하지 않았다. 베네치아 유명음식이라는 해산물 튀김이라고 먹인 것은, 속초 동명항 앞 튀김 집 거리에서 먹는 오징어, 게 튀김보다 못한 수준에 불과했기에 밥은 고사하고 풍경이라도 멋졌으면 하는 소탈한 마음으로 보트에 올랐다.

부라노 섬으로 가는 길, 햇빛이 보트가 가르는 물살 위로 일렁였다. 의도된 건지 아닌지 알 길은 없었지만, 보트를 타면 보통 조금의 뱃멀미를 하는 나로서는 별다르게 배에 들어간 음식이 없던 것이 참 다행이지 싶었다. 섬 간에 버스 역할을 하는 페리에 가득 찼던 사람들이 하나, 둘 내리고 난 후 한적해진 보트의 뒤로 선선한 바람이 기분 좋게 불기 시작했다. 그렇게 40분 정도 달려 도착한 부라노 섬. 많지 않은 사람들이 내렸다. 작은 이 섬에 내리자마자 빨간색들로 칠한 집들이 보였다. 그 뒤로 형형색색의 페인팅 된 집들이 줄을 이었다. 평소라면 관광객이 많은 섬이지만 코로나로 인해 한산한 섬을 천천히 걷다 보니 섬의 반대편 해안에 이르렀다.

고요한 바다. 바다였지만 호수 같았다. 가끔 지나가는 어부의 작은 카누만이 물결을 만들었다. 바람도 사람도 물결도 조용해지는 느낌에 우리 셋 모두 사진 찍을 생각은 접어두고 기울어진 벤치에 앉아 멍하니 바라만 보았다. 아무래도 남는 건 사진이라지만, 이 광경은 사진으로 남길 수 없는 풍경이었다. 나지막이 들려오는 이름 모를 새의 울음소리가 가득 찬 공간에 우리만 있다는 것이 놀라웠다. 노을은 빨리 지기 마련인데, 이날은 참 해도 느리게 졌던 것 같았다. 그래서 우리는 노래 하나 틀고 그저 멍하니 노을을 바라보았었다.

  거창한 목적을 들고 여행한 사람들도 있고, 소소한 삶의 재미를 찾으러 여행하는 사람도 있다. 굳이 큰 목표를 두고 떠나온 여행은 아니지만, 이런 풍경이 목표가 된 별거 없는 여행도 나름 괜찮다는 생각이 들었다. 누군가 내게 인생 최고의 노을을 물었을 때, 곧바로 답할 수 있는 여행지 하나를 찾았다는 것만으로도 가치가 있지 않은가.

6. 밀라노 패션 위크

피렌체에서 이탈리아의 멋을 경험한 이후, 나와 정익이 그리고 유찬이 중에 사실 유찬이가 가장 흥분했다고 생각한다. 그도 그럴 것이 우리 셋 중 패션에 민감하고 고급 브랜드와 디자이너에 대해 빠삭한 친구였기에 이탈리아의 거리는 그에게 하나의 놀이터 혹은 좋은 참고 자료와 같았을 것이다. 명품 아울렛과 구찌 박물관도 모자라 이탈리아 어느 명품매장을 가도 하나의 박물관 같이 꾸며 놓기 때문이다. 그렇게 유찬이는 코로나로 방문하는 사람이 적어진 명품매장에서 그동안 입어보고 싶었던 옷들을 입느라 정신없어 보였다.

"너네 혹시 밀라노 패션 위크 때문에 온 거니?"
"저희는 밀라노에 그냥 놀러 왔어요."
"혹시 지금 패션 위크 중인가요?"

밀라노에 도착한 이른 저녁, 밀라노의 홍대와 같은 핫 플레이스 동네에 숙소를 잡은 우리는 금요일 밤을 즐기려던 젊은이들을 뚫고 숙소에 도착했다. 친절한 주인이 맞이해주던 좋은 시설의 숙소를 둘러보던 우리는 뜻하지 않게 숙소 주인과 대화할 기회가 있었다. 여러 가지 정보들을 알려주던 중 지금 밀라노에서는 패션 위크가 진행 중인데, 다들 여행을 오지 않는 분위기에서 먼 한국이라는 나라에서 온 걸 보니 패션 위크 관계자나 혹은 쇼를 보기 위해 왔는지 우리에게 물어봤다.

나는 그저 그런가 보다 하며 넘어갔지만, 그동안 명품과 존경하는 디자이너들에게 영혼이 홀려버린 유찬이는 흥분을 감추지 못하는 듯했다. 간단하게 케밥으로 저녁을 때우고, 후식주로 도수가 높았던 리몬첼로를 마시던 저녁 밤. 본인은 기회가 된다면, 아니 일정을 바꾸어서라도 꼭 패션 위크를 보고 싶다고 우리를 설득하는 유찬이는, 마치 우리에게 호소하는 듯 보였다. 실상 내킨다고는 표현할 수는 없지만, 항상 계획대로만 되지 않던 것이 우리 여행의 일상이었기 때문에, 그리고 또 이런 재미로 여행을 하는 거지 싶었다.

다음 날, 최후의 만찬과 밀라노 두오모 관광 이후 이탈리아 유명 패션 브랜드인 '펜디'의 쇼장으로 향했다. 출출하던 차 먹었던 피자와 피자 상자를 들고 트램을 타는 유찬이의 모습이 한껏 상기되어 보였다. 그러는 모습이 이해가 가지 않으면서, 취향도 다르고 취미도 다른 우리 셋이 어떻게 같이 여행을 다니며 친구가 되었는지 다시금 생각해보게 되었다. 공자가 '서로 다른 세 명의 친구가 길을 가거든, 그중 한 명은 스승이다'라고 했던가. 우리 셋 중에 하나의 스승이 있다는 것은 말도 안 되지만 적어도 서로의 스승이 되어 배울 점이 충분한 친구들이기에 같이 다니고 있다고 생각한다. 펜디 패션쇼장에 들어서는 유명인들의 행렬과 일반인들의 화려한 패션들 틈에서 평범하기 그지없던 우리는 갓 상경한 시골 소년들 같은 눈빛이었다. 서로 다른 친구들이 만들어 가는 여행과 내가 모르는 분야를 배울 수 있다는 것, 참 행운 같은 여행이고 인연이지 싶다.

3) 스페인

1. 다시 바르셀로나, 마지막 여행지

　수연, 정익 그리고 유찬. 우리 셋의 여행의 신조는 '남들이 하지 못하는 여행' 그리고 '후회 없는 여행'이라고 생각하면서 항상 여행 계획을 짰었다. 그런 우리에게 바르셀로나라는 도시는, 특히나 나에게 있어서 바르셀로나라는 도시는 그동안 후회가 가득한 도시임에 틀림이 없었다.

　21살 우리의 첫 여행 중, 나는 영국 맨체스터에서 축구 경기를 보고 난 후 먹은 치킨 때문에 급체와 탈이 났다. 물론 내가 응원하는 '맨체스터시티'라는 팀이 정익이의 '아스널'을 이긴 흥분에 급하게 먹은 탓도 있었겠지만, 스위스 취리히 공항에서 노숙도 하고 맨체스터 공항에서도 노숙하며 쌓인 피로도 탓에 아마 탈이 났던 것 같다. 같이 여행하면서 누군가 한 명 아플 때 그나마 다행인 점은 나머지 사람들이 아픈 사람을 챙겨 줄 수 있다는 점이지만, 문제는 나머지 사람이 한 사람을 위해 시간과 돈을 희생해야 한다는 것이다. 나는 그 당시에는 그런 생각을 할 여유도 체력도 되지 않았지만, 이번 여행 전까지 스페인에 살면서, 혹은 따로 여행하면서 갔던 바르셀로나에서 그날의 기억을 몇 번이나 되새김질했다.

'그때 내가 더 가이드 잘 할 수 있었는데.'
'다음에 정익이, 유찬이랑 올 수 있으면 여기 타파스 바에서 저녁 먹어야지.'

아이러니한 점은 바르셀로나라는 도시는 내가 그다지 좋아하지는 않았지만, 이곳은 가장 많이 방문하고 즐긴 도시로 기억에 남아 있다는 것이다. 그래서 이번 여행 계획을 짜던 중, 시간상 촉박하기도 하고 며칠도 못 머무를 도시이긴 하지만 완고한 의지로 스페인을 계획에 추가한 나였다.

밀라노에서 출발한 비행기는 따뜻한 바르셀로나로 향했다. 코로나로 인해 복잡해진 유럽의 검역 단계는 열정의 나라 스페인에서는 그렇게 필요한 건 아니었는지 몇 가지 준비된 서류를 보더니 바로바로 통과하여 공항 밖으로 나올 수 있었다. 선선한 날씨와 함께 스페인에서 맨땅에 헤딩하듯 공부했던 스페인어들이 가득 둘러싸인 공간에 나오니 비로소 정열의 나라에 온 듯한 느낌을 받았다.

숙소에 빠르게 가방을 던져둔 우리는 2월 한겨울임에도 늦가을 복장에 가볍게 길을 나섰다. 원래라면 길게 늘어서 있을 사그라다 파밀리아의 줄은 온데간데없고 순식간에 게이트를 통과해 성당 앞에 설 수 있었다. 유찬이는 4년 전 왔을 때는 시간을 맞추지 못해서 밖에서만 구경하고 들어가지 못한 아쉬운 기억이 있는데, 그런 그에게는 특히나 사그라다 파밀리아의 스테인드글라스의 빛은 경이로워 보였을 것이다. 개인적으로는 몇 번이나 왔었던 사그라다 파밀리아 성당이었지만 이번에는 좀 더 특별했던 것이, 마음의 짐을 내려놓을 수 있었다는 행복이었다.

안토니오 가우디가 자연의 형상을 그대로 본떠 만든 사그라다 파밀리아 가족 성당은 하나의 숲의 모습으로 우리에게 다가오는데, 성당 안에서 불어오는 시원한 바람과 따스한 빛이 통과하는 스테인드글라스가 항상 반기는 모습이 마치 이날은 성당이 마치 내게 심심하게 작은 목소리로 잘했다고 말해주는 듯한 느낌을 받았다. 그동안 많이 방문했어도 이상하리만큼 그렇게 좋지는 않았다. 오늘에서야 그 이유를 알았고, 앞으로는 가벼운 발걸음으로 바르셀로나라는 도시를 찾을 수 있을 것만 같았다.

2. 바르셀로나의 밤, 벙커에서

준비물: 맥주 한 캔, 그리고 감자칩 한 봉지.

　새해부터 따로 출국해, 오스트리아에서 만나 여행을 같이한 지 벌써 몇 주가 흘렀다. 각자의 사정으로 귀국도 따로 하게 된 우리는 여행의 마무리를 잘해야 할 시점에 왔었다. 잘 마무리한다는 게, 참으로 어려운 일이다. 시작이야, 어렵긴 해도 일을 벌이면 하게 되는 것인데. 마무리는 '유종의 미'라는 말이 있듯 쉽지 않은 일이라고 생각한다. 너무 거창하진 않되, 하지만 특별하게 여정을 끝내고 싶은 개인적 욕심이 있었고, 그래서 벙커로 가기로 마음을 먹었다.

　벙커는 과거 스페인 내전 때, 바르셀로나의 공중 방어를 위해 세워진 시설물이다. 방치된 이 콘크리트 터전은 심심치 않게 알려지다가 젊은이 사이의 핫플레이스가 되어, 나도 종종 바르셀로나에 들를 때면 자유로운 분위기를 만끽하기 위해 찾았던 곳이다.

코로나 이전에는 청춘들의 자유로운 놀이터로써 밤새 크게 노래도 틀고 야경을 즐길 수 있는 곳이었다. 하지만 코로나 이후에는 어떤 지 아무리 찾아도 나오지 않아 내심 걱정했었다.

그렇게 걱정되는 마음으로 산 정상을 향하는 마을버스에 올랐다. 벙커는 바르셀로나 산 정상쯤 있어서 가는 길이 조금 복잡한데, 누구나 그렇듯 처음 가는 사람이라면 당황하기 마련인 장소에 위치해 있다. 그래서인지 정익이와 유찬이는 본인들의 생각보다 계속 산 정상을 향해 가는 버스에 당황하는 모습이 눈에 선했었다. 그렇게 오래도록 올라가던 버스가 멈추고 조용하다 못해 고요한 산 정상 근처의 어두운 산책로에 이게 맞는 길인지 물어보는 듯한 눈빛을 두 사람은 나에게 계속 보냈다. 두 사람을 조금 진정시키면서 올라가다 보니 어느새 벙커에 도착할 수 있었다.

그렇게 걱정되는 마음으로 산 정상을 향하는 마을버스에 올랐다. 벙커는 바르셀로나 산 정상쯤 있어서 가는 길이 조금 복잡한데, 누구나 그렇듯 처음 가는 사람이라면 당황하기 마련인 장소에 위치해 있다. 그래서인지 정익이와 유찬이는 본인들의 생각보다 계속 산 정상을 향해 가는 버스에 당황하는 모습이 눈에 선했었다. 그렇게 오래도록 올라가던 버스가 멈추고 조용하다 못해 고요한 산 정상 근처의 어두운 산책로에 이게 맞는 길인지 물어보는 듯한 눈빛을 두 사람은 나에게 계속 보냈다. 두 사람을 조금 진정시키면서 올라가다 보니 어느새 벙커에 도착할 수 있었다.

"맥주 한 캔하고 감자칩 한 봉지면 됐지."
"이 야경에 뭐가 더 필요하겠어."
"언제 다시 우리 셋이 바르셀로나 야경 보러 벙커에 올지는 모르지만, 건배하자."

맞는 말이었다. 당장 아니더라도 가까운 미래를 보아도, 우리 셋이 다 같이 이렇게 자유롭게 시간에 구애받지 않고 여행을 떠나기란 꽤 힘들어 보였다. 그래서 돈이 없어도 시간이 있을 때 최대한 여행을 가기로 마음을 먹었다. 여행에 관해서 정익이와 유찬이

말고 다른 친구들과 이야기할 때면 이 돈이면 명품을 사거나, 좋아하는 걸 사겠다고 말하는 친구들도 꽤 많았다. 어디에 가치를 두느냐는 자유이기에 무언가 조언할 입장은 아니지만, 그래도 한 가지 말할 수 있는 것은 여행하면서 현재에 집중하는 삶을 사는 게 중요하다고 생각하게끔 되었다는 것이다. 이날 밤 특별히 이런 여행을 할 수 있게끔 도와준 이 친구들에게 고마웠고, 달랑 맥주 한 캔 들고 야경을 보러 왔지만, 이것 이상의 무언가는 필요 없었던 것 같았다.

'난 지금 과거를 사는 것도 미래를 사는 것도 아니니까. 내게는 오직 현재만이 있고, 현재만이 유일한 관심거리요.'
 -파울루 코엘류 '연금술사' 중.

3장 각자의 여행-김정익

1) 포르투갈

1. 흩어지는 우리, 입대 전에도 다시 못 만난다고?

1월 17일. 바르셀로나에서 우리 이별하는 날이다. 유찬이는 대학교 영어 프로그램 참여 때문에 바르셀로나에 며칠 더 머물다 귀국한다. 수연이는 원래 함께 포르투로 가기로 했다. 3명이 쓰기에도 넓은 전망 좋은 숙소까지 예약해 놓은 상태였다. 하지만 어학연수 때 만난 친구의 스케줄에 맞춰 포르투를 포기하고 먼저 네덜란드로 가게 됐다. 이렇게 결국 포르투 여행은 혼자 다니게 된 것이다. 포르투로 가는 비행기를 타기 전 바르셀로네타 해변에서 지중해를 한번 보기 위해 먼저 호텔에서 체크아웃하기로 했다. 기분이 묘했다. 정말 나만의 모험이 시작되는 것 같다. 유찬이와는 2월 8일 군 입대 전 만날 것이니 '한국에서 보자' 정도로 인사를 했다. 수연이는 샤워 중이었다. 어차피 3일 뒤 네덜란드에서 다시 만날 테니 문밖에서 '암스테르담에서 보자'고 간단하게 인사하고 호텔을 나섰다. 이때가 입대 전 우리 셋의 마지막일 줄 누가 알았을까?

포르투에 도착해 홀로 멋진 석양을 보며 전망 좋은 넓은 숙소에서 하룻밤을 보낸 뒤, 다음 날 아침. 침대에 누워서 수연이에게 온 충격적인 문자를 읽었다. 그의 네덜란드 친구는 암스테르담에서 먼 근교에 살고 있다. 이 때문에 여행 전 네덜란드 친구가 공항에 차로 픽업을 와줄 것이라 들었다. 상황이 여의치 않아 결국 기차를 타고 직접 찾아가야 한다니. 비용과 시간 소요가 상당하다는 뜻이다. 셰어하우스라 침대가 없고 소파 정도에서 자야 한다. 코로나 확진을 막기 위해 마스크를 철저히 쓰고 다녔기에 룸메이트들의 존재는 부담스럽다. 결정적으로 네덜란드의 코로나 확산세가 심각해 봉쇄로 인해 관광지가 거의 닫았고 식당도 테이크아웃만 가능하단다. 사실상 네덜란드를 여행할 이유가 없어진 것이다.

이미 포르투 발 암스테르담행 비행기뿐만 아니라 암스테르담 발 런던행 비행기도 예매해 놓은 상황. 머릿속이 복잡했다. 일단 네덜란드 입국을 위한 무료 안티젠 검사 결과를 기다리면서 결단을 위해 산투 일데폰소 성당 앞 계단에 앉았다. 화창한 날 파란색 아줄레주 장식의 아름다운 성당 앞에 앉아 당장 내일 어느 나라로 비행기를 타고 갈지 고민해야 되다니. 2장의 비행기 티켓 모두 환불 불가해 교환을 해야 했다. 각 티켓의 항공사도 달라서 반강제로 두 항공사가 모두 취항하는 행선지를 찾아야 했다. 축구선수 호날두가 태어난 마데이라 제도, 프랑스 리옹, 몽펠리에, 낭트 등이 선택지에 있었다. 하지만 가보고 싶었던 네덜란드를 포기한 상황에서는 전혀 매력적이지 않았다. 취항지 목록을 살펴보던 중 눈에 띄는 도시가 하나 있었다.

'Paris'

생각지도 못했던 즉흥 파리 여행이 결정된 순간이었다.

"수연아, 내일 암스테르담 안 갈 것 같다"

　비행기 티켓을 교환하고 숙소도 예약했다. ESFJ 김정익의 여행 중 가장 즉흥적이고 무계획이었다. 결국 수연이와 나는 암스테르담에서 재회하지 못했다. 뒤에 서술하겠지만 계획했던 발렌시아에서도 만나지 못했다. 넋두리는 접어두고 그러면 입대일인 2월 8일 전에만 만나면 되지 않냐고? 그러면 될 줄 알았다. 웃기게도 수연이가 유럽여행 중 코로나에 확진돼버렸단다. 귀국일이 예정보다 늦어졌고 격리 해제가 2월 8일 이후가 됐다. 입대 전 만날 수 있을 거라 생각했던 수연이의 흔적은 발렌시아에서 사달라고 부탁했던 샹그리아 화이트 와인뿐이었다. 동두천에 격리 전 본인 집 현관문에 걸어 놓고 간다는 그의 문자. 덕분에 입대 전과 신병 휴가 때 너무나도 맛있게 마셨었다. 발렌시아 백화점에서 사서 캐리어에 넣어 가져와 준 카사 로레아 NO.3.

　고마움보다 미안함이 훨씬 크다. 이 글쓰기가 끝나면 '모험'을 떠나기 위해 입대가 아닌 '입교'하는 수연이를 위해 셋이서 와인 한 잔해야지.

2. 혼자 하는 배낭여행, 동행도 쉽지 않아

포르투를 시작으로 혼자 1주일간 배낭여행을 했다. 유럽 배낭여행은 벌써 3번째지만 혼자가 돼 본 것은 처음이다. 나이를 먹으며 꽤 대범해졌다고 생각하지만, 천성적으로 겁도 걱정도 많아 개인적으로 나름의 보험이 필요하다고 생각했다. 바로 '동행'이다. 각국의 입국 규정이 하루가 다르게 변경될 때 일차적으로 정보를 수집할 수 있는 곳은 네이버 카페 '유랑'이다. 유럽 배낭 여행객들이 모여 있는 온라인 커뮤니티이기에 동행을 구해 같이 여행하기도 하고 밥도 먹고 놀기도 한다. 어쩌면 인연을 찾게 될지도 모른다. 로맨틱한 여행 꿈꾸는 게 죄는 아니니까.

셋이서 함께 여행하던 중인 로마에서도 동행을 구한 적이 있다. 공항에서 테르미니 기차역으로 공항철도를 타고 가던 중, 이탈리아 유명 축구팀 AS로마와 유벤투스 FC의 경기가 있는 것을 알게 됐다. 게다가 아직 저렴한 티켓도 남아있어 '이건 봐야지'싶었다.

수연이와 유찬이는 티켓값이 부담되기도 했기에, 그날 저녁에 예정돼있던 로마 친구와의 동행을 선택했다. 혼자 가도 상관없다. 하지만 과격하기로 악명 높은 이탈리아 축구경기. 그것도 빅 매치니 겁이 나 최소한 경기장을 같이 들어가고 나올 동행이 필요하다고 생각했다. 그렇게 만난 동행. 로마 안티코 카페에서 커피 한 잔 간단히 마신 후, 스페인 광장에서 지하철을 타고 경기장으로 향했다. 동행은 좌석 그리고 구역까지 전부 달랐다. 결국 경기 끝난 뒤에나 동행을 만날 수 있고 경기는 혼자 봐야 했다. 입장 전 몸수색을 세 번이나 받고 삼엄하고 긴장감이 감도는 경기장에 앉았다. 주변 사람들이 신기하게 쳐다봤다. 너무 쳐다봐서 무섭기도 했다. 그럴 만도 하다. 친구들끼리 담배 함께 피며 최애 축구팀 응원하러 온 것도 아니고, 동양인 혼자서 코로나 안 걸리겠다고 KF94 마스크를 2개 겹쳐 쓰고 가장 싼 좌석에 앉아있으니.

분위기와 경기는 그야말로 역대급이었다. 홈팀인 로마가 선제골을 넣고 1대1 동점을 허용한 다음 후반전 2골을 추가로 넣어 3대1을 만들었다. 그렇게 경기가 끝날 줄 알았다. 그런데 70분부터 7분 만에 3실점을 하며 3대4로 역전당했다. 81분 유벤투스 수비수데 리흐트가 경고 누적으로 퇴장당하고 83분에 페널티킥까지 얻어

냈음에도 실축하면서 경기는 그대로 3대4로 끝났다. 페널티킥을 실축할 때 불안한 감이 왔다.

'일 났다. 무조건 도망가야 된다.'

충격적인 패배를 당하고 괜히 동양인에게 홀리건들이 화풀이할 지도 모르는 일이다. 급하게 동행을 다시 만나 로마 시내로 돌아 갔다. 그러면서 그와 많은 얘기를 나눌 기회가 있었는데, 동행한 남자는 특수교육과 전공에 터키부터 스페인, 이탈리아 등 40일 넘 게 혼자 유럽 여행 중이었다. 행색이나 뽀글거리는 머리 스타일이 우리 셋의 '맥시멀리즘'여행과는 거리가 있어 보였다. 수연이의 로 마 친구가 차로 데리러 올 때까지 수다는 계속됐다. 그 남자에게 난 참 나쁜 동행이었다. 축구 동행이라면서 더 비싼 티켓 사게 해 서 따로 앉아서 보고 피자 먹으며 대화하다가 친구가 왔다며 급하 게 마무리하고 떠났다. 그에겐 미안한 감정이 아직 남아있다. 하지 만 혼자 여행하던 그 동행은 셋이서 여행하고 있는 내게도 잠시나 마 말동무가 돼 줬다.

'동행은 여행 중의 말동무가 돼 주는구나.'

　동행에 대한 좋은 기억에 자신감을 얻어 포르투 첫날 포르투에
서 시작된 그 유명한 '포트와인'을 같이 마실 동행을 구했다. 만나
기 전부터 오픈 카톡방에서 저녁을 먹을 레스토랑을 의논했다. 기
대감이 점점 높아졌다. 일몰 구경할 동행 중 한 명을 먼저 만났다.
고려대 의대생이었고 남자 동생이라 편하게 이런저런 얘기를 나누
며 사진도 서로 찍어줬다. 동행 멤버는 계속 늘어나 총 5명이 됐
다. 남녀가 섞여 있고 처음 만났으니 당연히 어색했다. 아이스 브
레이킹 차원에서 대화를 이어가려 해도 나이가 3~7살 많았던 여
자분들이라 쉽지 않다. 이때 솔직히 점점 실망과 스트레스가 몰려
왔다. 모두가 함께 편하게 대화하기 어려운 분위기가 이어졌다. 사
실 생각해보자. 오미크론 변이가 대유행해 모든 국가가 입국 시
필요 서류와 검사 비용을 요구하며 국경을 걸어 잠그는 와중에도
유럽 배낭여행을 온 사람들이다. 그만큼 각자마다의 개성이 강할
것이다. 대화가 안 되는 게 어쩌면 당연하다. 결국 주최자로서 총
대를 메고 자기소개를 제안했다. 나이를 밝혔을 때 여자 동행 두
명이 놀라며 웃었다. 궁금해 이유를 물었다.

"생각보다 나이가 너무 어려서요"

본인들 나이가 어느 정도 있고 비용부담이 있는 유럽 배낭여행을 하고 있으니 그렇게 생각할 수도 있다. 그래도 애써 태연한 척했지만, 꽤 충격이었다. 포트와인을 마신다고 하니 포멀한 니트 카디건과 베스트와 셔츠, 그리고 슬랙스를 입고 갔다. 나이대에 맞지 않는 소위 '연륜'이 느껴지는 패션으로 보였나 보다.

'그럼 내 나이대는 여행 다닐 때 맨날 후드티와 추리닝 입고 프리하게 다녀야 하는 거야?'

이상하게도 반발감이 순간 들었다. 어쩌면 노안이라고 생각했을지도 모르겠다. 노안이라. 부정하고 싶지만, 남들에게 그렇게 보인다면 그런 거 아니겠나. 아무튼 그건 그것대로 충격과 실망을 안겨줬다. 입대 후 감당해야 될 통제나 간섭을 받기 전 온 여행. 오늘부터는 나 혼자 더욱 내 맘대로 자유롭게 배낭여행을 할 수 있겠다는 기대를 갖고 온 포르투다. 기대가 크면 실망도 크다고 하지 않나. 어색 어색한 분위기인 와중에 기분이 상하니 그리 유쾌

하지 않았다. 식사를 마치고 '비긴어게인'에도 방영돼 유명한 도루 강가 버스킹을 잠시 감상한 후, 강 건너편에 있는 산드만 와이너리에 묵는 동행과 둘이서 걸어갔다. 로맨틱한 야경이었고 모든 것이 여유로웠다. 하지만 확실히 나는 마음의 문이 닫혀 있었다. 편하게 숙소에서 멋진 야경을 감상하며 와인 한 잔 더 하는 것이 낫지 싶었다. 포르투 동행은 그렇게 끝났다.

3. 난생처음 대서양을 봤을 때

　산과 바다 중 한 곳을 골라야 한다면? 난 고민 없이 바다를 고른다. 연천에서 군 생활을 하며 바다가 더 좋아진 것도 부정할 순 없을 것이다. 확실히 산은 알프스 정도 혹은 화산이 아닌 이상 감흥이 없다. 바다가 없는 곳으로 여행을 가면 뭔가 아쉽다. 그렇기에 포르투갈, 포르투 여행을 떠올렸을 때 처음 든 생각은 이거다.

'대서양 볼 수 있나?'

　유럽까지 여행 갔다면 지중해는 봐야 하지 않나. 대서양도 볼 수 있다면 더 좋을 것이다. 일본은 큐슈 정도 가봤고, 미국은 가본 적이 없어 대서양은커녕 태평양도 제대로 본 적이 없다. 긴말 필요 없다. 한마디로 대서양을 보고 싶었다는 거다. 유럽 여행을 해본 사람이라면 공감하듯, 어느 정도 시간이 지나면 건물도, 성당도 웬만하면 큰 감흥이 없다. 포르투에는 상 벤투 기차역같이 포르투갈만의 독특한 푸른 타일 장식 '아줄레주'가 사용된 화려한 건축물

들이 많아 흥미로웠다. 하지만 포르투 여행 2일 차는 '대서양을 봤다'로 요약된다. 포르투갈이 원조인 에그타르트 '나타'는 매력적이었고 저렴하게도 1유로였는데, 나타를 포장해 바다를 보러 갔다면 나타에 대한 사랑은 충분히 소명했다고 본다.

버스를 타고 'Pérgola da Foz'에 도착했다. 해안 산책로에 있던 그리스신화에 나올 법한 황금색 기둥과 발코니. 그리스 산토리니와 대서양에 대한 로망을 갖고 있어 꼭 가고 싶었다. 바다를 보며 마실 포르투갈 병맥주가 없으면 섭하지 싶어 근처 마트에서 Super Bock 병맥주를 산 다음 에그타르트를 곁들여 마셨다. 풍경 사진, 동영상도 많이 찍고 용기 내 행인한테 '인생샷'도 부탁했다. 한겨울임에도 신발을 벗고 바다에 발을 담글 정도로 재밌게 즐겼다.

한강이나 바다에 가면 듣는 뮤직 플레이리스트가 있다. 부끄럽게도 원곡이 있다는 건 알지 못했었지만 볼빨간사춘기의 〈아틀란티스 소녀〉라는 노래를 제일 좋아한다. '저 먼 바다 끝엔 뭐가 있을까'로 시작하는 노래 첫 구절. 한국에서 바다를 가면 항상 저 지평선 너머에 뭐가 있을까를 생각해본다. ESFJ 특징인지 모르겠지만 지평선 너머 멀지 않은 곳에 일본, 제주도, 중국이 있다는 현실적인 답을 얻는다. 하물며 지중해도 지평선 너머 가까운 거리에 무언가 있을 것이다. 그래서인지 난 큰 바다인 태평양, 대서양을 더 더욱 갈망했다. 저 먼 바다 끝에 뭐가 있을지 로망이 생기니까.

　사실 대서양에 대한 거창한 감상은 없다. 그래도 '울림'은 정말 컸다. 왠지 모를 성취감도 있었다. 하루 전, 바르셀로네타 해변에서의 지중해는 정말 호수라고 해도 믿을 정도로 파도가 잔잔하고 평화로웠다. 하지만 포르투의 대서양은 높은 파도가 우렁찬 소리를 내며 내게 다가왔다. 이틀 안에 지중해와 대서양을 모두 보게 되다니. 내가 유라시아 대륙 서쪽 끝에서 직접 본 멋진 풍경이다. GPS 맵이 이를 보증한다. 대서양의 석양을 보고 있자니 스트레스마저 해소되는 느낌이었다. 석양 앞 방파제에 앉아있는 여유로운 낚시꾼까지. 지평선의 황홀한 붉은색이 완전히 사라지기 전까지 해변을 떠나지 못했다.

해변을 떠나 어제 동행들과 함께 갔던 버스킹이 있는 도루강가를 다시 걸었다. 로맨틱함이 어제와 비교할 수 없을 정도로 커져 있었다. 어쩌면 석양의 대서양이 나름의 복잡했던 머릿속을 치유해준 것이리라. 힐링과 에너지를 주는 도시만큼 좋은 곳이 또 있을까. 다음 날 역시 이 힐링을 잊지 못하고 도루강과 대서양이 만나는 강 하구 등대에서 공항으로 출발하기 전까지 시간을 보냈다. 호수처럼 잔잔한 강 하구와 높은 파도가 밀려오는 방파제 위 등대

〈아틀란티스 소녀〉 가사 중 좋아하는 소절이 있다. '왜 이래 나 이제 커버린 걸까/(생각해봐) 나 이제 더 이상 놓치진 않아 (소중했던) 나의 잃어버린 기억 (지금 내 맘) 이젠 나의 그 작은 소망과 꿈을 잃지 않기를 저 하늘 속에 기도할래'.

너도나도 다 가는 군대 꼴값 떤다 해도 틀린 말은 아니지만, 등대 앞에서 이 노래를 들으며 군대에서도 작은 소망과 꿈을 잃지 않겠다고 다짐했다. 비행기 시간이 촉박해져 캐리어를 끌고 언덕을 뛰어올라가는 와중에도 계속 뒤돌아서 대서양과 도루강 풍경을 바라보게 만드는 도시. 그렇게 난 오늘, 좋은 사람과 다시 오고 싶은 도시 리스트에 포르투를 추가했다.

2) 프랑스

1. 시간은 없는데 욕심만큼 안 되는

파리 여행이라면 각자 위시리스트 정도는 있을 것이다. 모든 걸 하려면 며칠 정도가 필요할까? 단언컨대 최소 3일 이상은 필요하다고 생각할 것이다. 난 이번 파리 여행에선 핵심 관광지만 갔었다. 주어진 시간? 1.5일이다. 욕심이 과한 건 둘째 치고 이걸 계획이라고 짰냐고 힐난해도 좋다. 네덜란드 대신 즉흥적으로 하루 전 결정해 오게 된 여행이니까. 나는 ESFJ다. 해외여행뿐만 아니라 국내여행도 계획을 열심히 세운다. 하지만 국내여행과 해외여행은 계획을 세우는 순서에 약간 차이가 있다. 국내에선 맛집 리스트를 먼저 만든다. 언제 어느 맛집을 갈지 결정하고 다음 동선을 짠다. 그만큼 맛집과 음식엔 진심이다. 먹거리보다 볼거리가 더 이색적인 해외여행이라면? 단식행군을 강행하기 십상이다. 실제로 19년과 20년 1월 배낭여행 때, 가이드 역할 수행 중 '도대체 밥은 언제 먹냐'는 질타를 받은 바 있다. 반성했다. 그래서 이번 여행의 이탈리아에서는 끼니만큼은 놓치지 않도록 노력했다.

파리는 혼자 여행한다. 여행할 시간도 많지 않았다. 그렇다면 단식행군은 이미 시작됐다고 볼 수 있다. 식사 시간마저 아끼면 빡빡한 계획이 성공할 수 있다고 생각했다. 시작부터 꼬여버릴지는 몰랐으니까.

밤 비행기로 도착한 파리. 하루 전 저렴하게 예약한 호텔이라 치안이 좋지 않은 파리 북역에서 10분 정도 밤길을 캐리어 끌며 걸어갔다. 겁을 잔뜩 먹은 난, 자정이 훨씬 넘어서야 체크인했다. 긴장이 풀리면 피곤이 몰려오는 건 당연했다. 얼른 씻고 자려는 찰나 핸드폰 충전이 되지 않는다. 휴대폰 배터리가 없으면 여행 자체가 불가능하다. 머리가 아파오고 느낌이 쎄했다 다음날 휴대폰 수리점을 검색해 갔다. 연신 영업 안 한다며 나가라는 주인장. 인종차별 당하는 게 아닌지 내심 기분이 상해 이유를 물었더니, 오히려 경찰증을 꺼내면서 날 내쫓는다. 뭔지 모를 단속에 걸린 듯했다.

기분 나쁜 일은 제쳐 두고 하루를 시작하기로 마음먹었다. 1분 1초가 아까워도 무조건 필요했던 메트로 교통카드. 역무원에게 줄까지 서서 나비고 카드를 발급해달라고 했다. 여기서는 안 파니 다음 역 가서 사라는 그의 말. 다음 역조차 갈 티켓이 없는데 어떻게 하자는 걸까. 언어도 안 통하고 인종차별, 소매치기에 대한 두려움이 있는 프랑스. 앞으로 있을 프랑스 여행에 대한 예고편인 것 같았다.

코로나 여파로 사람이 없어진 루브르 박물관, 생애 처음으로 작품들을 편하게 감상했다. 〈모나리자〉 앞에서 사진도 금방 찍었지만, 작품을 여유롭게 음미할 수 없게 하는 촉박한 시간이 야속하다. 다시 충전 케이블을 사기 위해 도착한 오페라 가르니에 근처 삼성 서비스센터. 충전 케이블 하나가 10유로라니. 한국에서는 반값 이하로도 살 수 있을 텐데. 다른 전자제품 판매점을 둘러봐도 20, 30유로. 까르푸 마트에서 파는 싸구려 케이블이라도 사려고 했다. 그마저도 10유로. 몇 유로 아껴보겠다고 발품 팔았는데, 결국 시간만 허비했다. 삼성 프랑스 지부에 피 같은 여행경비 쾌척 후. 몰려온 허기. 까르푸에서 사 먹은 초콜릿과 빵 하나. 미식의 도시 파리에서 바쁜 여행자가 먹을 수 있었던 첫 끼였다.

낭만의 세느강 야경 유람선이라면 기분전환이 되겠지 싶었다. 급하게 바트무슈 유람선 바우처를 사서 선착장에 갔다. 구글맵에는 영업 중인데, 왜 문을 닫았을까? 동절기엔 금요일부터 일요일에만 영업한다는 설명. 허탈해서 웃음조차도 안 나온다. 유효기간이 2년이던 바우처. 내일이 아니면 전역 후에나 쓸 수 있을 텐데 싶다. 질리지 않을 것 같은 아름다운 에펠탑과 개선문 야경, 하지만 그런 아름다운 풍경을 보는 와중에도 다음 일정 때문에 시간을 확인해야 한다.

이렇게 좋은 야경 앞에서 무엇을 위해 '빨리빨리'를 추구해야 하는 걸까. 나는 '빨리빨리'가 '선택과 포기'보단 낫다고 생각했던 거다. 빨리 사진 찍고 떠나야 하는데, 소매치기 안 할 착한 사람 어디 없나. 안정적인 인생샷과 로맨틱한 야경을 위해 누군가 옆에 있었으면 좋겠는 생각이 든다.

2. 예술이 너를 자유케 하리라

계속되는 돌발 상황에 지친 첫날 이후 난 모든 위시리스트를 정복하기 보단 하나의 낭만 정도로 만족하기로 마음먹었다. 그렇게 마음을 먹게 된 건 오페라 가르니에 때문이었다. 화려한 황금색 벽화와 샹들리에. 무려 샤갈이 그렸다는 천장화 아래 프라이빗 '박스석'. 그곳에서 'Concert De L'ACADÉMIE'의 오페라를 감상했다고 생각해보라. 욕심의 성격이 변경되지 않을 수 없었을 것이다.

오페라 가르니에로 인해 바뀌어 버린 파리에서의 낭만은 곧 오르세 미술관으로 향했다. 네덜란드 대신 온 파리였다. 그런 내게 오르세 미술관은 암스테르담 고흐 미술관을 포기한 것의 아쉬움을 달래기에 충분했다. 건방지게도 1시간 30분 정도의 관람을 생각하고 미술관에 들어갔다. 모두 알다시피 밀레, 로댕, 마네, 모네, 세잔, 르누아르의 많은 유명 작품을 마주친 후엔, 발길 돌리기가 쉽지 않다.

마침내 고흐의 〈아를의 별이 빛나는 밤〉 앞에 섰다. 개인적으로는 런던 내셔널 갤러리의 〈해바라기〉보다 몇 배 이상의 감동을 준다. 〈아를의 별이 빛나는 밤〉을 처음 만난 건 정익, 유찬 그리고 수연. 우리 셋의 첫 유럽 여행인 19년 1월이다. 코로나가 없을 때였지만, 오르세 미술관 야간 개장 중 방문했기에 미술관이 붐비지 않았다. 나는 이 작품 앞에 서서 15분이 넘도록 시간 지나가는지 모를 정도로 몰입했다. 예술에 대한 조예가 깊진 않다. 하지만 고흐의 생애에 대해서는 어렴풋이 안다. 난 미술적 손재주가 아예 없기에 작품의 붓 터치 하나하나가 감탄스러웠다. 그 붓 터치를 고흐의 생애에 투영해 음미했다.

재수한 당시 소위 수능 대박을 이뤘지만, 원서를 넣은 대학에 다 떨어지진 않을까 불안했었다. 이번에는 오늘 오후로 예매한 런던행 비행기부터 다음 달 입대까지 촉박한 시간에 초조했었다. 마음이 힘들 때. 작품을 보며 힘든 시간을 보내던 당시의 고흐와의 동질감에 힐링 되는 게 아닐까 싶다.

작품을 음미하다 보니, 이미 지나간 시간도 아니고 앞으로의 '끝' 없을 시간에 끌려 다니고 싶지 않았다. 내가 시간을 사용하는 것이지 시간이 나를 사용하는 게 아니지 않나. 전역 후, 어느 맑고 멋진 여름밤에 세느강과 에펠탑 야경 보러 꼭 바트무슈 유람선을 타러 와야지. 몽마르뜨 언덕의 사크레 쾨르 사원에서 파리 시내를 내려다보고 맛있는 바게트와 크로와상도 먹어야지.

비록 이번 여행에 시간이 없어 세느강 유람선을 타지 못해도, 몽마르뜨 언덕을 가지 못해도 그리고 프렌치 요리 한번 못 먹고 떠나도 괜찮다. '다음'은 반드시 있을 테니까.

3) 영국

1. All or Nothing: Arsenal. However,

　단언컨대 여행이 계획대로만 된다면, 여행의 매력에 빠진 사람이 이렇게 많진 않을 것이다. 여행이 계획대로 되지 않는다면 무언가를 포기해야 되고, 포기는 내게 큰 고통과 스트레스다. 먼저 우선순위를 생각하게 된다. 그렇게 난 포르투에서 네덜란드를 포기하고 파리를 선택했다. 그리고 이번 여행 시작 전부터, 그리고 여행 중에 포기한 것도 있다. 발렌시아와 세비야, 그라나다다. 무엇을 위해? 런던 연고의 한 축구 클럽을 위해.

왜?
기대했으니까.

　런던은 배낭여행 때마다 갔던 도시임에도 이번에도 방문했다. 질리지 않고 항상 새로움에 기대된다. 지하철도 잘 돼있고 무엇보다 언어가 그나마 잘 통해 편하다는 장점도 있다. 발렌시아는 수연이가 어학연수하고 있을 때 방문했었다. 최애 건축물 중 하나인 '예술과 과학의 도시'가 있으며, 도시가 아름답고 매력 있고 날씨도 좋았다. 친구가 가이드도 해주니 너무 편했다. 무엇보다 이강인 선수가 발렌시아 CF 축구팀에 있었는데, 골대 바로 뒷자리에서 강호 FC 바르셀로나와의 역대급 경기를 직관했던 기억이 너무 강렬하다. 이강인 싸인도 받고 같이 셀카도 찍었다. 이보다 좋을 수 있을까. 세비야와 그라나다? 한 번도 가본 적 없지만, 모두가 꼭 가보라며 추천하는 말이 필요 없는 스페인 대표 관광지 아닌가. 뭐 하나 포기하고 싶지 않았다. 하지만 한 통의 이메일에서 고민이 시작됐다.

여행 계획에 맞춰 항공권까지 전부 예매 후 출발 1달 전, 갑자기 일요일 런던 발 세비야행 이지젯 항공권이 하루 뒤인 월요일로 조정됐다. 저가 항공사라지만 정말 어이가 없는 상황이다. 내게 신 대륙인 세비야와 그라나다를 포기하는 건 정말 쉽지 않은 일이다. 여행을 시작하고 로마에 도착한 1월 8일 밤에서야 런던 발 발렌시아행 항공권으로 변경했다. 추가 비용까지 내고 말이다. 수연이와 함께 발렌시아의 좋았던 기억을 쫓아서.

이쯤 되면 세비야와 그라나다를 포기하게 만든 런던 연고의 축구 클럽에 대해 간략하게라도 서술하는 게 인지상정이다. 이 글을 쓰고 있는 시점에서 나는 아스널 FC의 팬이다. 이 팀은 5년 넘게 암흑기에 빠져 명문 클럽다운 예전의 모습을 보여주지 못하고 있다. 그런데 스포츠 팬들 사이에는 이런 격언이 있다고 한다. '팀이 답답할 정도로 못하면 팬들은 강성이 된다'. 부정하고 싶지만 나는 강성이 돼 있었다. 팀이 못해도 내가 선택했고 아직 나름의 매력을 갖고 있다고 생각한다. 유럽 여행 갈 때마다 아스널의 경기를 직관했다. 비행기 티켓값에 비싼 경기 티켓 값까지 내면서 이룬 직관 성적? 강 팀 맨체스터시티 원정경기에서 졌고, 약팀이라 평가받는 셰필드 유나이티드와 홈경기에서 비겼다. 처참한 1무 1패라는 성적. 그럼에도 입대 전 다시 아스널의 홈경기를 위해 애슈버턴 그로브(에미레이트 스타디움)를 가기로 결심한 것이다. 왜 바보같이 이런 팀을 응원하냐고? 매력 있으니까. 고백 하나 더 하겠다. 이 글을 쓰고 있는 시점에서 서울 토박이인 나는 부산 연고의 야구팀 롯데 자이언츠 팬이다. 야구를 모르는 사람이라도 이쯤 되면 '롯데 팬'이라는 나를 포기할 것이다.

그렇다면 이제 이 구제 불능 스포츠 팬은 왜 발렌시아를 포기하게 됐는가? 입대를 앞둔 입장에서 아스널 경기를 가능하다면 피치 가까이, 즉 선수들의 플레이를 바로 앞에서 보고 싶었다. 그래서 이미 티켓을 1장 갖고 있음에도 멤버십까지 결제해서 티켓을 1장 더 구매했다. 그리고 남은 1장을 처리하기 위해 동행을 구했다. 한창 밀라노를 여행 중, 동행이 갑자기 킥오프가 토요일이 아니라 일요일이 아니냐고 묻는 것이다. 무슨 소리일까. 일정이 확정된 걸 확인하고 티켓을 구매했는데. 경기 보고 발렌시아로 후엔 바르셀로나로 가 귀국할 계획이었다. 사실이었다. 코로나 여파로 주중 컵 대회 경기 일정이 조정됐고, 이에 따라 예매한 경기도 하루 뒤로 연기됐다. 다시 선택과 포기의 시간이 왔다. 그렇게 난 수연이와의 발렌시아를 포기하고 1주일 만에 월요일 런던 발 바르셀로나행 비행기로 변경했다. 역시 추가 비용을 지불하고. 휴지 조각이 된 숙소 값과 기차 티켓들의 고통과 스트레스를 잊기 위해서라도 경기에 대한 기대를 키웠다. 바보처럼.

드디어 경기 당일이 됐다. 런던 교통박물관에서 언더그라운드 무드 등을 사면서 런던에서의 로망을 채우다 킥오프 시간이 촉박해졌다. 피카딜리 라인은 매주 아스널 홈경기가 있는 날에는 혼잡

도를 고려해, 경기 전후로 Holloway Road역을 무정차 통과하고 경기장 바로 앞인 Arsenal역에 정차한다. Arsenal역에 내리면 숙소가 너무 멀어지기 때문에 Holloway Road역 전역에서 내려 숙소로 뛰어가 경기장 갈 준비를 급하게 했다. 동행도 티켓을 기다리고 있으니 늦으면 실례니까. 문제는 숙소 현관문을 나선 뒤였다. 폰을 놓고 나왔다.

'근데 나 숙소 도어락 비밀번호 모르는데?'

핸드폰에만 도어락 비밀번호 메모가 돼 있기 때문이었다. 문을 열심히 두드려도 안에 사람이 없으니 소용없다. 숙소 밑 꽃집에서 사정을 얘기하고 투숙객 인증 후 비밀번호를 받아 폰을 챙겨 경기장으로 뛰어갔다. 날도 흐려 쌀쌀한 런던 날씨였는데도 식은땀이 비 오듯 났다. 동행도 있지만 킥오프 전 선수들이 정렬했을 때 틀어주는 웅장한 음악을 듣고 싶었기 때문이다. 티켓 오피스에서 기념품으로 남길 수 있도록 종이 티켓을 겨우 받아서 경기장으로 서둘러 들어갔다. 이미 경기는 시작해 30초 지나 있었다. 기다리던 90분 경기의 30초를 놓친 아쉬움보다 웅장한 음악을 못 들은 게 더 아쉬웠다.

당시 꼴찌, 20위 번리와의 리그 경기였다. 적어도 이 경기에서는 직관 승리를 볼 수 있겠다는 기대가 있었다. 그런데 골 찬스조차도 만들기 버거워하더니 설마 했는데 0대0으로 경기가 끝나버렸다. 무려 세비야, 그라나다, 발렌시아를 포기하면서까지 골 세리머니를 하러 선수들이 오는 가까운 좌석까지 추가로 예매해 온 경기였다. 골의 기쁨조차도 없었던 직관이었다. 직관 성적 2무 1패. 이정도면 직관을 안 하는 게 팀 성적에 도움되지 않을까 하는 의심이 들 정도였다. 최종 순위는 1월의 부진과 뒷심부족으로 현실적 목표라 생각했던 4위마저 달성하지 못하고 5위로 끝났다. 경기를 일요일로 연기시킨 주범인 컵 대회마저 탈락했기에 애써 위로할 거리가 없다. 기대가 컸던 만큼 실망도 컸다. 남은 건 경기장 가까이서 찍은 사진들뿐이다.

2. 이 밤이 지나면 이대로 떠나보내야만 하나

런던에서의 동행에 대해 잠시 회상해보자면, 오픈 카톡방에서 만나 대화할 때는 조금이나마 망상에 가까운 기대가 조금 있었다. 아스널 경기를 보려는 '여자' 분일 수도 있다는 생각에 로망이라면 로망이거니와 포르투에서의 아쉬움도 기대를 키웠다. 귀국 후 보름 뒤면 입대. 망설일 것도 없겠다 싶었다. 망상은 망상일 뿐. 동행은 W 런던 레스터 스퀘어 호텔 바 매니저로 일하고 있는 31살 형이었다. 북런던에 사는 소위 '로컬'이라서 'Holloway Road'역 앞 펍에 가서 맥주 한 잔 하자는 그의 제안을 거부할 이유가 없었다. 3번의 배낭여행 때마다 역 앞을 지나가며 항상 궁금했던 곳을 드디어 갈 수 있게 됐다. 다양한 주제로 얘기를 나눴는데 아스널, 리버풀 팬들 특징을 듣기도 하고, 술 취한 듯한 구너(아스널 팬덤명)와 대화하기도 했다. 이런 생생한 경험은 여행객이 아닌 북런던에 거주하는 로컬과 왔기에 누릴 수 있는 장점이 아닐까.

동행으로 만난 형의 혹시 스케줄 없으면 어젯밤 근무 중 술 취해서 왔었던 중국인 여성과 같이 저녁을 먹자는 제안. 평소 같으면 거절하고도 남았을 테지만, 어디서 용기가 났을까. 귀국과 입대를 앞둔 상태에서 축구 직관마저 실망스러웠기에 오기만은 남아 있었던 거다. 소호 거리의 베트남 쌀국수집. 영국 유학을 온 중국 여학생을 만났다. 첫인상부터가 흥미롭다. 영국에 오래 살아서 그런지 악센트도 얼굴형도 영국인이라고 해도 믿을 정도로 이국적이다. 1살 연상의 그녀는, 영국에 4년째 살며 심리학 석사를 진작 끝내고 박사과정을 밟고 있었다. 이제야 학부 2학년 마치고, 연천으로 1년 6개월(군 생활) 살러 가는 사람도 있는데. 덕분에 군 복무 1년 6개월 동안 현실 안주만큼은 하지 말자는 다짐을 했다. 같은 테이블에 앉은 3명 중, 난 안되는 영어로 고향에 대해서, 그리고 어떻게 공부했는지 이것저것 물어봤다. 낯선 외국인들과도 거리낌 없이 의사소통하는 유찬이와 수연이에 자극받은 것이었을까. 아니면 대화와 인연에 대한 목마름이었을까. 어쩌면 한국 사람이 아니라서 더 적극적이었을지도 모른다. 평소 같으면 망설였을 텐데 여행 막바지로 오니 대담해진 걸까.

형은 출근을 위해 먼저 갔다. 둘이 남았다. 왠지 헤어지기가 싫다. 내일 새벽, 바르셀로나행 비행기를 타러 일찍 나가야 하는 걸 뻔히 알면서. 어쩌면 인연이 맞다고 할지라도 입대로 인해 인연이 아니게 될 현실을 회피하고 싶었던 것 아닐까. 막상 그녀가 택시를 타고 집에 가겠다는데 인스타 아이디조차도 묻지 않았다. 왜일까. 아마도 곧 사회의 모든 것과 단절되기 때문일 것이다. 세비야, 그라나다, 발렌시아까지 포기하고 기대했던 축구 경기에 실망했음에도, 그저 오늘뿐일 인연을 찾고 있었던 거 아니냐고 묻는다면 딱히 부정할 수 없을 것 같다.

가끔 기회가 되면 한강에 가 맥주를 마시며 여러 생각을 하곤한다. 평소 같으면 치안 걱정에 숙소로 돌아갔어야 할 시간. 런던의 마지막 밤 아니 유럽의 마지막 밤이라고 생각하니 머릿속이 복잡했다. 지난 두 번의 배낭여행 때는 같이 온 친구에게 인생샷을 부탁했던 템즈강 타워 브릿지 야경. 오늘은 혼자였다. 내 옆으로 4~5명의 중국인 남학생들이 신나게 사진 찍고 있었다. 수연이, 유찬이와 함께 여행을 다닐 땐 우리도 저런 모습이었겠지. 저들에게 사진을 부탁하고 싶진 않다. 그들의 즐거운 시간을 지켜주고 싶었던 것일지도 모르겠다. 생각 정리를 위해, 후회 남기지 않기 위해

타워 브릿지를 멀리서 바라보다, 직접 다리 위도 걸었다. 풍경 감상에 있어 의미가 있는 행위는 아닐 것이 분명하다. 하지만 '마지막'이라는 단어 앞에서 뭐라도 하고 싶은 허한 마음을 달래기 위해선 걷지 않을 수 없었다. 피카딜리 라인 막차가 기대했던 것보다 더 빨리 끊긴다. 막차를 타지 않는다면, 나 다시 돌아갈 수 있을까. 자정 넘어서야 숙소 근처에 도착했는데도 어느새 또 에미레이트 스타디움 앞을 서성이고 있었다. 사 놨던 맥주를 들이켜고 나서야 잠들었다. 새벽 6시부터 귀국을 위한 대장정을 시작해야 함에도 말이다.

4) 스페인

1. 바르셀로나: 맑음, 그깟 '경유지' 때문에, 입대: 위험

모든 것이 계획대로 될 수 있을 거라 생각했다

북런던에서 출발, 아침 9시 25분 나는 남쪽으로 멀리 떨어진 개트윅 공항에서 출발하는 바르셀로나행 비행기를 타야 했다. 지하철도, 빅토리아역에서 출발하는 공항철도인 개트윅 익스프레스도 첫차. 그걸로 끝이 아니었다. 공항 터미널 자체가 역에서 멀리 떨어져 있어 여행하며 이상하리만큼 더 무거워진 백 팩과 캐리어를 끌며 뛰어야 했다. 모든 것을 서둘렀음에도 라스트 보딩 콜 3분 전 겨우 비행기에 탑승했다. 나는 일상에서도 이런 식의 타임 어택을 한다. 계속 성공한다면 짜릿하지만 이날 하나라도 실패했다면 피눈물 흘리는 거로는 끝나지 않았을 것이다. 사실 이번 여정 자체가 그랬다. 코로나 관련 이슈가 한 번이라도 터지면 여행은 즉시 중단된다. 그렇다면 이 정도의 리스크는 별거 아니라고 해야 할까.

바르셀로나로 다시 돌아왔다. 이스탄불을 거쳐 한국으로 가는 터키항공 비행기만 기다리면 된다. 바르셀로나 발 이스탄불행 비행기의 체크인 카운터 번호를 전광판에서 한번 확인했다. 저게 하늘을 나는 '입영열차'구나 싶었다. 이탈리아 피렌체의 구찌가든에서 산, 구찌 카드지갑. 그리고 더 몰 아울렛에서 산 아버지의 페레가모 벨트의 택스리펀을 받았다. 지난 배낭여행 때는 그저 대표 관광지와 축구만을 보고 여행했다. 이번 여행에선 명품 선물도 사고 택스리펀도 받으러 왔다. 여행하며 추구해야 할 가치, 그리고 여행 후 남겨야 할 유산이 나이를 먹으며 달라진 걸까. 뿌듯해야 할까, 씁쓸해야 할까 모르겠다.

'CANCELADO'

처음 해보는 택스리펀을 마치고 다시 체크인 카운터 번호를 확인하기 위해 전광판을 봤다. 스페인어임에도 난 비행기가 결항 됐음을 직감했다. 왜 내 비행기만 결항일까. 바로 항공사 카운터로 뛰어갔다. 이스탄불 기상 문제로 결항 됐단다. 결항이 뭐 대수라고 생각할 수 있지만, 내게는 큰 문제였다. 이 비행기를 정상적으로 타지 못하면, 이스탄불 발 인천행 비행기도 탈 수가 없다. 즉 입국

시 필요 서류에도 문제가 생긴다. 당장 한국으로 출발하지 못하면 런던에서 받은 PCR 검사 음성 확인서가 만료돼, 다시 검사 받아야 했다. 유럽에서 국경을 넘을 때마다 심장 조려가며 코를 찔렀고 문제없이 통과해왔다. 하지만 재검사 후, 음성이 나온다고 확신할 수 없다. 한국 정부는 모든 해외 입국자에게 10일의 의무 자가격리를 요구하고 있었다. 계획대로 1월 25일에 입국해도 2월 4일 정오까지 격리해야 된다.

문제는 내 입영 날짜, 나는 2월 8일에 입대였다

언제까지 결항 될지 모르고, PCR 검사를 다시 받았는데 양성 판정을 받으면 정말 입대를 못하는 상황이었다. 군대 갈 생각만으로도 심란한 상황에서 머리는 더 복잡했다. 이번 여행에서 바르셀로나 아니 스페인에 머문 시간이 이틀도 되지 않을 정도로 짧다. 날씨가 너무 좋았기에 수하물 체크인하고 잠깐 시내 나갔다 올 생각은 단 30분 만에 엉망이 됐다. 바르셀로나 날씨는 너무 맑은데 최종 목적지도 아니고 잠시 경유하는 이스탄불 날씨 때문에 비행기가 결항이라니. 진짜 정신이 나갈 것 같다.

Inform
Informati
Inform

✈ Salidas   Departures

Time	To	Flight	Counter	Gate	Remarks
16:35	MADRID	IBE 3025	252-255	A	
	Code Shared : VY 5062				
16:35	MADRID	IBE3025S	Puente Aéreo	A	
16:50	PALMA MALLORCA	VY 3912	451-512	B	
	Code Shared : IBE 5387				
16:55	BILBAO	VY 1426	451-512	B	
	Code Shared : IBE 5058				
16:05	AMSTERDAM	VY 8321	451-512	C	
	Code Shared : IBE 5871				
16:30	SEVILLA	VY 2226	451-512	A B C	
	Code Shared : AA 8172				
16:55	MENORCA	VY 3708	451-512	A B C	
	Code Shared : QTR 3594				
17:10	PALMA MALLORCA	VY 3908	451-512	A B C	
	Code Shared : IBE 5383				
17:15	LONDRES/LHR	BA 481	260-264	D E	
17:15	IBIZA	VY 3516	451-512	A B C	
	Code Shared : IBE 5359				
17:15	GRANADA-JAEN	VY 2014	451-512	A B C	
	Code Shared : IBE 5157				
17:25	AMSTERDAM	KL 1674	702-706	A B C	
17:35	PARIS/ORLY	VY 8020	451-512	A B C	
	Code Shared : IBE 5608				
17:45	ISTANBUL	THY 1856			CANCELADO
	Code Shared : AVA 6614				
18:00	PARIS/CDG	AF 1549	702-706	A B C	
	Code Shared : UX 2246				

어지러운 상황을 혼자 해석 못하고 있는 것인지 나름의 공동 대응이 필요할 것 같아 유랑 카페에 접속해 같은 처지의 모녀를 만났다. 재검사와 티켓 변경을 논의하고, 내가 터키항공 카운터에 가서 영어로 물어보는 것을 반복했다. 내가 어떻게 영어로 궁금한 것을 물어보고 요구할 수 있는 사람이 됐을까. 귀소본능과 생존본능이 동시에 발동했으니 그럴 것이다. 일단 기다리라는 직원 말. 패닉 상태가 돼 급한 대로 한국까지 가는 다른 비행 편을 당일 예약하는 것도 알아봤다. 가격이 너무 비쌌다. 결국 기다리는 게 최선이라는 판단뿐이었다. 무한대기 외에 무엇을 할 수 있을까. 이왕 이렇게 된 거 먹고 싶었던 버거킹에 갔다. '오리지널 지중해 스타일 버거' 세트에 음료는 아예 맥주로 거하게 먹었다. 이후엔 의미 없는 기다림이 이어졌다. 마침내 항공사 직원 왈 오늘은 비행기가 확정적으로 뜰 수 없다고 통보했다. 대신 식사가 포함된 4성급 호텔 1박과 공항-호텔 간 왕복 셔틀버스, 또한 PCR 검사도 필요시 청구하면 비용을 지원해주겠다고 제안했다. 불행 중 다행이었다. 이런 돌발 상황에 제안은 내키지 않더라도 수용하지 않을 이유가 없었다.

문득 이런 생각이 든다. 10일간 격리해야 하는 지금, 해외여행을 온 사람들은 그만큼 시간적, 경제적 여유가 있다는 뜻이다. 누가 나처럼 20일 남짓 여행하면서 10일을 자가 격리해야 되는 소위 '가성비' 떨어지는 여행을 하려고 할까. 하루 늦게 귀국해도 그들의 일상에 문제가 없는 사람들이 여행객 중 얼마나 될까. 여행은 아무나 아니, 그보다 '언제든' 할 수 없는 것이라고 더욱 크게 느낀 순간이다. 군대를 앞둔 날들이 자유롭다고 말하기도 힘들겠지만 결국 한국에서의 자유로운 하루를 바르셀로나 공항과 호텔에서 보내게 됐다. 셔틀버스를 타고 도착한 곳은 4성급 호텔이라 느껴지진 않는, 그냥 무난한 호텔이다. 바르셀로나 시내를 갔다 오려 했지만 긴 왕복 시간에 단념했다. 바르셀로나 시내와도, 한국과도 멀리 떨어진 곳에 혼자 낙오된 호텔 방은 춥게 느껴졌다.

2. 바르셀로나 대탈출, 다시 아부다비에

다음 날 아침 작은 희망을 품고 공항으로 갔다. 어라. 오늘 역시 결항이다. 아직 눈을 다 못 치웠다는 설명. 기막히게도 내일은 다시 눈 예보. 호텔에서 공항에는 왜 데려다 준 걸까. 이대로 넋 놓고 있을 수가 없었다. 코로나 검사보다도 더 큰 문제는 입영이었다. 진땀이 났다. 경유지일 뿐인 이스탄불 때문에 발이 묶여 버린 게 미쳐버릴 상황이다. 터키항공 사무실의 긴 대기 줄. 귀소본능에 두뇌가 빠르게 돌아가기 시작한다. 폭설이 문제이니 항공사 자체를 바꿔야겠다는 생각이 든다. 엄청난 비용 부담이 있더라도 새로 항공권을 끊는 결단도 불사해야 되겠다는 생각이 엄습한다. 낯가릴 여유조차 없다. 동양인 남성 한 명 붙잡고 영어로 물어보니, 본인은 미국까지 가야 돼서 항공사 사무실에서 추가 비용 부담 없이 다른 항공사 티켓으로 바꿨다고 한다. 저 줄이 마지막으로 부여잡을 수 있는 희망의 동아줄이구나. 재빨리 줄을 섰다. 그런데 2시간 이상 줄을 섰는데도 진전이 없다. 이래선 미리 검색해 놓은 귀국 비행기도 다 이륙해서 떠날 판이었다. 초조함을 넘어 화가 나기 시작했다. 내 앞쪽에 서있던 이탈리아 건축가 남자도 마찬가지였다. 같은 처지인 우린 짧게 인사하고 이탈리안 특유의 제스처로 서로 화를 삭였다. 그 남자 역시 상당히 예민해져 새치기하는 사람에게 욕설까지 섞어가며 큰 소리로 싸웠다. 나만큼이나 그 역시 엄청난 압박감과 스트레스를 받았었으리라.

3시간. 이탈리안 건축가 남자, 그리고 나. 우리는 인내심이 한계에 닿았다. 키프로스로 가야 하는 여자의 티켓 교환이 오래 걸리자 눈으로 욕을 하며 답답함의 제스처까지 했다. 여성분은 직원들이 일 처리를 제대로 안 해주고 너무 느리다며 울먹대고 있다. 서로 예민한 상황에 누군들 차분할 수 있을까. 분위기가 살벌해지자 직원이 와서 전 세계 터키항공 사무실에서 전산망에 접속해 티켓 교환으로 늦어지고 있다고 해명하기를 반복. 그럼에도 야속했다. 가능 항공편들이 하나 둘 이륙하고 있고 남은 항공편들도 자리가 남아있다 하더라도 티켓을 바꿔줄 수 있다는 보장이 없기 때문이다. 드디어 차례가 왔다. 스페인 사람일 직원에게 빠르게 정확한 소통이 필요했다. 상황 설명을 위해 파파고로 번역해 투명 아크릴판에 들이밀었고, 원하는 비행 스케줄을 보여줬다.

'설마 나만 안 되는 거 아냐?'

불안감에 심장이 빨리 뛴다. 다행스럽게도 난 티켓 교환에 성공했고, 재빨리 출국 절차를 밟았다. 추가 비용 없이 바르셀로나를 탈출할 수 있게 됐으니 얼마나 다행인지 모른다. 나중에 전해 들은 바에 따르면 이스탄불에 발이 묶인 사람들은 호텔도 제공받지 못하고 공항에서 단체 노숙을 했다고 한다. 눈이 그친 후에도 제한적으로 공항이 운영돼 겨우 탈출했다고 들었다. 귀국길에 잠시 이스탄불에 스탑오버하는 것도 생각했었는데, 하마터면 입대도 스톱 당할 뻔했다.

정신없이 이번 유럽 배낭여행의 마지막 도시 바르셀로나와 작별했다. 돌이켜 생각해보면 오히려 다행이다. 계획대로 귀국했다면 탑승 게이트 앞에 앉아 아쉬움과 우울감에 휩싸였을지 도 모른다. 나는 아이러니하게도 하늘을 나는 '입영열차'를 타면서 탈출감에 기분이 홀가분했다. 탈출과 정반대인 군대라는, 소위 '던전'에 가는 길임에도 말이다. 고등학교를 졸업하고 그동안 열심히 모은 돈으로 19년 1월에 처음으로 셋이서 유럽 배낭여행을 떠날 때, 이용한 항공사가 에티하드다. 첫 유럽 배낭여행이라고 패기롭게 만든 플랜 카드를 들고 유럽 여행 시작 전 뮌헨행 비행기를 기다리며 아 부다비 공항의 낙타상 앞에서 사진을 찍었었다. 3년 뒤 입대 직전 바르셀로나를 탈출해 아부다비 공항에서 다시 운명처럼 낙타를 만났다. 어떤 역경에도 변함없이 이겨낼 수 있다는 왠지 모를 열정과 용기가 생겼다.

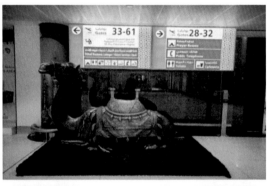

각자의 여행 - 황수연

1) 네덜란드

1. 오랜만이야 루크

바르셀로나에서 나와 정익이, 그리고 유찬이는 서로 다른 길로 헤어졌다. 나는 그 길로 오랜 친구를 만나러 네덜란드로, 정익이는 포르투갈로 떠났고 유찬이는 스페인에 남았다. 비행 일정으로 인해서 정익이가 먼저 떠난 후, 구엘 공원을 갔다 오는 것을 마지막으로 유찬이와도 바르셀로나 광장에서 헤어졌다, 같이 여행하지 못하는 아쉬움과 함께, 이제는 혼자라 정신 차려야 한다는 익숙해지지 않는 두려움이 엄습했다.

암스테르담 스히폴 공항. 2022년 초, 네덜란드의 분위기는 코로나-오미크론으로 인해 급격하게 다시 얼어붙었다. 강화된 검역 절차와 나라 봉쇄 정책에 스히폴 공항에 도착한 저녁, 썰렁한 공항으로 인해 홀로 여행하는 이날 하루는 길게 느껴졌다. 더 나아가

이런 불안함 보다 문제였던 것은 스페인에 있으면서 언어를 알아들었기에 편하게 여행했었지만, 네덜란드어는 내가 전혀 할 줄 몰랐다는 것이었다.

공항 승무원에게 겨우 물어 물어, 어학연수 당시 친하게 지냈던 친구 집이 있는 틸뷔르흐행 열차에 올라탔다. 늦은 밤, 타지에서 피곤한 몸을 이끌고 올라탄 기차에선 적막만이 감돌았기에 잠깐이라도 눈을 붙일 수 없었다. 홀로 여행할 때는 나를 챙길 사람은 나 혼자인 1인 가구가 되기 때문이다. 말도 잘 안 통하는 기차역을 갈아타기를 두 번, 겨우 친구가 거주하고 있는 틸뷔르흐 역사에 도착했다. 12~1시가 다 되어가는 늦은 저녁. 한국이라면 12시는 이른 저녁처럼 느낄 수도 있었겠으나, 유럽에서는 6시 해 질 녘 이후로는 상점 닫는 경우도 허다하고 길거리 자체가 조용해지기 때문에 고요하다 못해 불안한 느낌마저 들었다.

"여기야 수연, 이야 얼마 만이야! 이게"
"그러게, 너는 한 10년은 늙은 거 같아"

적막을 깨고 손을 흔들며 인사하며 친구가 다가왔다. 친구들과 어울리기 좋아하고, 클럽과 노래가 있다면 언제든 반다나를 쓰고 나타나던 친구, 루크. 기차역에 나타난 그의 모습엔 그 예전의 미소는 여전했지만 조금 더 번듯한 모습이 되어있었던 것 같다. 룸메이트들과 같이 사는 셰어하우스로 가는 길, 이제 루크는 언어 학습 모델 애플리케이션을 개발도 하고 직접 강의도 하는 사업가로 변해 있었다. 그저 잘 놀고 잘 웃던 친구로만 기억되던 그였지만 이제는 어엿한 사업팀도 꾸리고 자기 사람들을 챙겨야 하는 위치에 있다는 사실에 놀라움을 감출 길이 없었던 것 같았다.

한국에서 학창 시절을 보내며, 하나의 '국룰'처럼 여겨지는 부분이 바로 대학 진학인데, 루크는 대학에 가더라도 막상 본인이 크게 배울 수 있는 것이 없다는 생각에 전 세계를 여행하며 언어를 배웠다. 이런 경험을 바탕으로 본인의 사업을 구상했고, 실제로도 지금까지도 열심히 매일 그의 사업은 성장 중이다. 내가 루크의 성장을 보며 놀랐던 점은 그가 나보다 단지 동생임에도 이런 생각을 했다는 것에 놀라는 것이 아닌, 그동안 놀기만 좋아하던 친구로 여겨서도 아닌, 나는 왜 이런 생각을 하면서도 실천하지 못했느냐는 근본적인 자기반성을 하게 됐었기 때문이었다.

좋은 친구가 무엇인가. 언제든 만나도 마음이 편해지는 친구일 수도 있고, 나를 잘 이해해주는 친구가 좋은 친구일 수도 있다. 하지만 내게 좋은 사람과 좋은 친구의 기준은 결국 나를 이전보다 나은 방향으로 이끌어 주는 사람과의 관계라고 생각한다. 네덜란드의 첫날, 뜻하지 않게 신선한 충격을 받고 시작한 일정이 더욱 흥미로워졌고, 후에 다시 루크를 전 세계 어디선가 볼 날이 있다면 그보다 내가 더 놀라움을 줄 수 있는 사람으로 성장해 보이고 싶다는 생각이 든다.

2. 소소한 저녁 파티

개인적으로 생각하는 여행의 핵심은 언제나 여유를 잃지 않는 것이다. 준비를 열심히 하는 이유 역시 여유를 갖기 위해 하는 것이다. 주객이 전도되어 준비만 열심히 하다가 막상 여행 가서 퍼지는 사람들을 많이 보아왔고 나 역시 그런 경험이 수두룩하다.

네덜란드에 도착하고서는 많은 것을 하고 싶어도 나라가 봉쇄될 모양새였기에, 할 수 있는 것은 그다지 없었다. 긴 여정 중에 이왕 쉬는 김에 푹 쉬지 싶어 따로 여행할 곳조차 알아보지 않았다. 이전 같으면 안절부절 어떻게든 검색을 해서 나름의 의미 있는 장소를 들러 뭔가 했다는 안도감을 찾았을 테였다. 이제는 그냥 걸어 돌아다니다 맛있어 보이는 집을 고르는 재미, 그리고 공원에서 테이크아웃한 커피를 마시며 책이나 읽는 재미를 알기에 마음에 여유가 있었다.

문을 열지 않은 박물관들 외에도 쉬려고 마음먹은 이유에 날씨도 한몫 단단히 했는데, 네덜란드에 머무는 며칠 내내 흐린 날씨엔 도저히 햇살이라고는 찾아볼 수가 없었다. 할 수 있는 것도 많지 않았지만 그래도 좋았던 점은, 루크는 셰어하우스에서 살았기 때문에 매일 밤 부엌엔 룸메이트들과 그들의 친구들이 북적북적하게 가득 찼었다는 것이다. 틸뷔르흐 지역 대학에 재학 중인 대학생, 연구원 그리고 사업가까지. 이외에도 다양한 사람들과 밤마다 같이 저녁을 먹으며 대화할 수 있었는데, 주방에선 영어, 스페인어, 불어, 독일어 그리고 네덜란드어가 서로 섞여서 대체 뭘 듣고 있는 거지 싶은 순간이 있을 만큼 정신이 없었다.

스페인에서 언어를 배우던 시절, 어학원만 가면 나는 정신을 단단히 무장하고 나가야 했는데, 수업도 어렵거니와 반 친구들과 소통할 때도 다양한 국가에서 오다 보니 정신을 차리지 않으면 질문도 이해하지 못할 때도 종종 있었기 때문이었다. 한국에 귀국한 이후로는 한동안 이런 정신없는 느낌을 받을 이유가 없었는데, 익숙한 듯 익숙해지지 못하는 이 다채로운 언어가 날뛰는 식사 시간은 마치 데자뷔와 같아서 반갑기도, 어지럽기도 했다.

저녁 파티라고 해 봤자 무언가 특별한 것을 차린 건 아니었다. 집 앞 이탈리아 가게에서 포장해온 피자 몇 판, 대량으로 조리한 파스타와 저렴한 와인 그게 전부였다. 그리고 가끔은 틸뷔르흐 중심가에 있는 한인 마트에서 사 온 한국인의 매운맛 '불닭볶음면'도 사와 친구들과 내기하며 소소하게 저녁 파티를 보내곤 했다.

루크는 많은 곳에 데려다 주고 싶었지만, 많은 박물관과 명소들이 문을 닫아 내게 꽤 미안해하는 것 같이 보였다. 물론 네덜란드 여행을 충분히 하지 못한 아쉬움이 없다고 하면 거짓말일 것이다. 그러나 이건 다시 네덜란드를 여행하러 오면 그만인 것이다.

가끔 미슐랭 레스토랑 같은 여행보다 이렇게 집밥같이 마음 편한 여행도 필요하다.

3. 파울라가 알려준 암스테르담

덧없이 행복한 휴식 시간이었던 셰어하우스를 뒤로 하고, 루크와는 틸뷔르흐역 앞에서 한국에서 다시 만날 날을 고대하며 헤어졌다. 그렇게 기차를 타고 잠깐 쪽 잠을 잔 지 얼마나 지났을까, 종착역인 암스테르담 중앙역에 도착한다는 강렬한 경적과 함께 안내 방송이 흘렀다. 차창 밖으로 보이는 흐린 날씨의 암스테르담은 운하를 끼고 있어 암울한 분위기를 자아냈었다.

베네치아와 마찬가지로 암스테르담 역시 세계적인 운하의 도시로 불린다. 그래서인지는 몰라도 자전거도로와 더불어 도시 곳곳에는 강을 건널 수 있는 버스 겸 대형 페리가 즐비했다. 다만 달랐던 몇 가지는, 베네치아에서는 많은 관광객이 있었다는 점과 날씨가 화창했던 반면에 암스테르담에서는 서울 시민들이 지하철을 이용하는 모습과 같이 차가운 현실적인 모습과 날씨 역시 우울할 정도로 계속 흐렸다는 점이다. 어렸을 때 읽었던 유명한 '안네의 일기' 속 안네는 암스테르담에서 은신처에 몸을 숨기며 나치의 유대인 색출을 피해 살았었다. 그 어린아이는 밝았지만, 점점 우울하게 바뀌어 갔는데, 여러 이유 중 날씨도 한몫 단단히 하는 것이 자명한 것 같았다. 암스테르담은 스페인에 돌아갈 비행편이 스히폴 공항에 많이 있어 항공편 때문에 왔다. 그래도 암스테르담에 온 한 가지 이유가 있었다면 네덜란드에 사는 친구 '파울라'를 오랜만에 잠깐 볼 생각 정도였다.

추운 1월 달, 바다보다 낮은 땅이라는 뜻의 네덜란드에서는 비와 눈, 바람 가릴 것 없이 몰아쳤다. 나흘 동안 내리 햇빛을 보지 못하다 보니 네덜란드에는 정이 떨어졌지만 그래도 오래간만에 내게 도움을 많이 주었던 친구를 볼 수 있다는 생각에 그나마 설렜다. 루크는 내가 해외에서 적응하도록 가장 많은 도움을 주었던 친구였고, 파울라는 루크 이전에 다른 친구들에게 내가 말 걸기 부담스러울 때, 먼저 나서서 도와주던 친구였다. 모두가 알다시피 학교에서든 혹은 사회생활을 할 때든 간에, 관계에 있어서 처음을 어떻게 시작하느냐가 중요하다. 혹자는 첫 이미지가 마지막까지 간다고도 하지 않는가. 그런 중요한 순간을 도와준 친구이기에 하루 정도, 아니 반나절도 안 되는 시간이라도 할애하지 않을 수가 없었다.

암스테르담 중앙역에서 조금 떨어진 골목을 걸을 무렵 누군가가 나에게 멀리서 소리치는 듯한 느낌을 받았다. 파울라는 같이 사는 룸메이트와 함께 열심히 나에게 손 흔들며 자기의 위치를 알렸다. 데자뷔와 같은 이 장면은 내 웃음을 자아냈다. 해외의 다양한 친구들과 이해하지 못할 언어로 둘러싸여서 혼란스러운 나에게 따뜻한 친절함으로 좋은 추억을 주었던 친구가 맞음을 확신하는 웃음이었다.

오랜만에 만난 파울라와 그녀의 룸메이트와 함께 근처 유명 샌드위치 가게에서 간단하게 요기하기로 하러 들어간 가게. 당연하게도 치즈 종류가 수십 가지는 되어 보였다. 한국인이 많은 김치 종류를 자랑하듯, 네덜란드에서는 치즈 종류에 대한 자부심 넘치는 위트 몇 가지를 들어주어야 대화가 시작한다. 해외에서 사귄 친구 중 이상하리만큼 네덜란드인들이 꽤 큰 비중을 차지하는데, 그들 모두 광적인 치즈 사랑꾼들이라 이제는 치즈 종류에 대해서 나도 설명이 가능할 것만 같다.

몇 년 전 제대로 인사도 하지 못하고 떠나서 미안하다는 심심한 사과의 말과 함께 한국에서 가져온 작은 선물을 주었다. 미안함과 반가움을 표시하기 위해 가져온 여러 선물 중 그녀에겐 유명 녹차 회사에서 만든 로션 세트를 선물로 주었다. 경험상 이런 자그마한 선물이라도 주는 편이 좋은 인상을 남겨주는 것을 알기에 혹시 해외 나가는 일이 있거든 작게나마 기념품을 챙겨가는 편을 추천한다. 반나절도 안 되는 짧은 시간 동안 서로의 안부와 근황에 관해 얘기하다 보니 파울라는 프로젝트 때문에, 연구실에 돌아가야 했다. 떠나면서 내게 관광지도 몇 장과 둘러보기 좋은 곳 그리고 조심해야 할 것들에 대해 어미 새처럼 알려주고 떠났는데, 그중 흥미로운 건 마리화나와 홍등가 정도였다.

지도에 나온 대로 안네의 집, 네덜란드 왕궁 그리고 교회들을 둘러보다 보니 점점 마리화나 특유의 냄새에 머리가 아파졌다. 담배와는 다르게 머리 뒤통수가 아파지는 연기 냄새에 정신을 못 차리고 들어간 커피숍, 무언가 단단히 잘못됨을 직감했다. 네덜란드의 커피숍은 커피나 차를 마시는 공간이 아니라 합법적으로 대마와 같은 마약을 구매 및 흡연할 수 있는 곳이다. 파울라가 여행지도에 그렇게 조심하라고 세 번 강조까지 했는데. 대마초 냄새에 머리가 아파 피신하러 온 곳이 대마를 합법적으로 필 수 있는 곳이라니, 아이러니했다. 나는 한국 공항에서 마약사범으로 잡혀 들어가고 싶지 않았기에 놀란 가슴을 뒤로 하고 단번에 가게를 나왔다.

여전히 커피숍에 대해 놀란 가슴에 스스로 진정시키며 길을 걷다 보니, 이번엔 운하를 따라 길이 좁아지고 사람이 많아졌다. 아니나 다를까 '홍등가'에 들어선 것이다. 대충 빠져나오고 싶었지만, 남녀노소를 가리지 않고 많은 사람이 길거리에 가득 차서 걸었기에 빠져나가기가 쉽지 않았다. 더욱 문제를 더한 것은 유리창 안에 있는 빨간 불빛의 '프로페셔널'한 분들이 많이 보임에 따라 즐거워 보이는 사람들을 뚫고 나가기가 더욱 힘들었다는 것이다. 코로나 시국에 따라 홍등가 운영 시간을 단축한다는 정부의 발표를 뉴스로 봤기에 이렇게 많은 사람이 평소보다 더 일찍 나와 거리를 가득 채운다는 것에 놀랐고, 그녀들의 프로페셔널함에 놀랐다.

암스테르담의 반나절 투어를 통해 많은 것을 했지만 정작 기억에 남는 두 가지는 파울라가 그렇게 조심하라던 대마초와 홍등가였다. 웃기지 않은가. 물론 의도를 가지고 일어난 건 아니지만 이런 희한한 일들이 이 도시를 기억하는데 쉽게 도와줄 것 같다.

2) 스페인

1. 말라게따 해변의 벤치

　스페인에서 언어를 배울 당시 같은 반에는 네덜란드 친구들 그리고 독일 친구들이 이상하게도 많았다. 큰 키에 창백한 피부 그리고 금발 머리. 여느 유럽인들이 그러하듯, 이 친구들도 햇빛을 좋아했다. 아니 집착에 가까울 정도라고 표현하는 것이 더 적절한 표현이라고 하고 싶은 것이, 평상시 수업을 받을 때도 햇살 받으며 야외 테라스에서 수업하자고 하기도 하고, 해변이나 카페에 놀러 가서는 절대로 그늘에서 쉬는 법이 없었다. 나는 항상 그늘에서 시원하게 바람 맞는 걸 좋아하기에 친구들도 나를 신기하게 보고, 나 역시 그들을 신기하게 쳐다보았다. 교실에 아시아인이라고는 나 혼자였기에, 동양에서 온 신비한 아이(나를 의미한다)에게 모든 아시아에 관한 궁금증을 물어보는 형편이었다. 그러다 보니 햇볕을 쬐는 것에 관해서도 얘기할 기회가 있었다.

"너네는 왜 이렇게 햇빛에 집착하는 거야?"

"하하하, 네덜란드나 영국에서 살아 봤어, 수연?"

"당연히 아니지, 왜?"

"거기 일주일만 살아봐도 햇빛에 우리가 왜 집착하는지 알게 될 거야."

암스테르담 여행기에서도 이미 언급했듯이, 네덜란드에서 휴식을 취하는 동안 햇살이 없는 암울한 날씨에 학을 뗐다. 유찬이 그리고 정익이와 따뜻하던 바르셀로나에서 여행해서 네덜란드에선 더욱 햇빛이 없다고 느꼈을지 몰라도, 소금 더 쳐서 과장하여 설명한다면 여행하는 동안 한 줌의 햇빛도 느끼지 못한 것 같았다. 그렇게 암스테르담 스히폴 공항에서 새벽 눈바람 맞으며 출발한 비행기는 말라가 공항에 도착했다.

같은 항공편에 탄 가족 손님들은 모두 휴가 차 말라가에 오는 듯해 보였다. 유럽의 발코니라고 불릴 정도로 인기 있는 휴양지인 말라가 공항에 도착하니 그 이유를 단번에 알 수 있었다. 선선한 바람, 화창한 날씨. 안 오려야 안 올 수가 있겠는가. 영국을 여행하면서도 우울하진 않았는데 네덜란드에서 날씨 때문에 힘든 느낌을 받다 보니 말라가에 도착한 순간 햇빛에 순간 자연 치유가 되는 것만 같았다. 그렇게 말라가 고속버스 터미널에 짐을 넣어두고 여유로운 시간, 딱히 무언가 하기 위해 온 도시가 아니라 세비야를 가기 위해 들른 도시이기에 아는 게 많지 않았다. 마침 옆에 학생도 시간이 남아 앉아있는 것으로 보여 몇 가지 물었다.

"Eh, hola chico." (에, 올라 치꼬)

"Hola, que paso?" (올라, 께 **빠소**)

"Si no me molesta, cual es lo mas famoso en Malaga."(시 노 메 몰레스타, 꾸알 에스 로 마스 파모소 엔 말라가?)

"Creo que es la playa Malagueta."크레오 께 에스 라 플라야 말라게따)

"Ay, gracias." (아이, 그라시아스)

굼벵이도 구르는 재주는 있듯이 생존을 위해 배운 스페인어는 나와 같은 한량 여행가에게 많은 도움이 됐다. 말라게따 해변을 추천받은 나는 시간당 꽤 많은 돈을 먹는 사물함에 추운 비바람을 막아주던 나의 전투복 무스탕 재킷을 구겨 넣고 가벼운 옷차림으로 길을 나섰다.

무언가 해야 한다는 의무감 없이 여행하는 재미 역시 사람들에게 강력하게 추천하고 싶다. 물론 배움을 가지고 여행하는 것, 그게 기본이 된다는 전제하에 말이다. 암스테르담에 이어, 또 반나절 계획이 없이 여행하다 보니 나도 어느새 이 시간을 꽤 즐기고 있는 듯한 느낌을 받았다. 뇌는 본인이 몰두하고 있는 영역의 생각을 지속적으로 할 때보다 다른 영역에 일을 생각하거나 처리할 때 더 활성화가 된다는 연구 결과가 있듯이, 계획에 없던 곳을 찾아가면서 더욱 신나기 시작해진 것 같다.

해변을 가는 버스에 타기를 수십 분, 해변 근처 정거장에 내린 나는 너무 더운 나머지 길거리 상점에서 얼음 가득 담긴 통에 있는 환타 레몬 맛을 하나 집고선 계산했다. 스페인에서만 맛볼 수 있는 환타 레몬의 새콤한 맛에 인상을 찡그릴 때, 내 옆으로 서핑보드를 들고 가는 많은 서퍼들이 보이면서 해변이 바로 코앞임을 직감했다.

스페인은 일 년 내내 따뜻하냐고 물었던 친구들의 질문에, 그럴 수도 있고 아닐 수도 있다고 답한 기억이 있다. 빌바오 같은 북부 도시들은 같은 스페인임에도 겨울엔 춥고 여름엔 따뜻한 여느 유

럼 도시와 같다. 하지만 적어도 말라가는 한겨울에도 시원하게 반
소매에 아니 맨몸으로 서핑하는 사람들도 있는 것을 보면, 일 년
내내 따뜻할 것 같다는 생각이 들었다.

언제나 나를 반기는 햇살이 있는 곳을 원하는 여행자라면, 말라
가라는 도시는 언제나 매력적이지 않을까 생각해본다,

2. 잠을 자지 않는 도시, 세비야

암스테르담 스히폴 공항에서 새벽에 출발한 나는 말라가에서 고속버스를 통해 세비야에 도착했다. 이렇게 여행을 하는 건 사실 조금 미련한 편이라고 볼 법한데, 길게 혹은 여러 나라를 여행할 때 중요한 건 여독을 어떻게 관리하느냐에 따라 여행의 질이 달라지기 때문이다. 이렇게 비행기도 타고 버스도 타는 것은 미련한 축에 속한다. 그래도 여독보다 중요했던 것은 여행 경비였기에, 남는 건 체력뿐인 20대인 나에게 체력과 시간을 써서 돈을 아끼는 편이 더 저렴했다. 어찌 되었든 젊더라도 사람인 이상 오밤중에 일어나 7시간 동안 공항과 터미널 그리고 도로에서 시간을 보냈기에 몹시 피곤한 상태로 세비야 게스트하우스에 도착했다. 오후에 도착한 나는 혼숙 공용침실이라서 그런지는 몰라도 꽤 자유분방하고 시끄러웠던 게스트하우스에서도 짐을 풀자마자 아무래도 좋다는 듯이 꿀 같은 낮잠을 청했다.

다음 날 동이 트자마자 같은 방을 썼던 이집트 친구와 프랑스 친구가 목적지가 같으면 같이 여행하자는 말에 적잖이 외로운 여행 도중 오래간만에 들은 좋은 제안이다 싶어 흔쾌히 수락했다. 특히 이집트 친구는 세비야 여행하는 데 있어서 톡톡한 활약을 해주었는데, 아무래도 이슬람과 스페인의 역사가 공존하는 세비야라는 도시에, 특성에 있어서 아랍권 즉 이슬람 문화를 설명해주는 친구가 있다는 점이 이득이었다.

세비야의 알카사르 궁전으로 향하는 길, 세비야는 역시 이슬람과 스페인 양식이 조화를 이뤄서 도시가 발전한 듯한 느낌을 물씬 받을 수 있었다. 스페인 여행 중 아쉬운 점이 하나 있다고 한다면 그라나다의 알람브라 궁전을 못 갔다는 것인데, 그랬기에 알카사르 궁전은 개인적인 아쉬움을 달래주기 위해 무척이나 중요했다. 혼자 갔어도 물론 흥미로운 구석이 많은 궁전이라 좋았겠지만, 이집트 친구와 동행하다 보니 아랍권의 관점에서 보는 알카사르 궁전은 디자인, 구성 그리고 역사까지 내가 미처 알지 못할 부분들이 많았다.

나는 이슬람에 대해서는 꽤, 아니 완전히 무지한 수준이었다고 말할 수 있다. 알지 못하기에 뭔지 모를 거부감이 있었다고 생각한다. 그러나 세비야 여행을 이집트 친구와 동행하면서 이슬람교가 개인적으로는 생각보다 무척 경건한 점에 놀랐다. 그들의 일관된 경건함과 나의 일상생활을 돌이켜 보며, 그동안 하지 않았던 인생관에 대한 고민과 종교적 질문마저 들 정도였으니 말이다. '인나말 아으말루 빈니야' 즉 모든 행위는 의도에 의해 비롯된다는 그들의 선지자 무함마드의 가르침을 누구보다 신실하게 따르는 그들을 보면서 내 종교적 가치관, 아니 적어도 인생에 대해서는 다시 한 번 생각하게 됐다.

시시포스의 신화에선 참다운 인간상으로서 부조리 속에서도 창조적이고 정열적인 인간을 요구한다. 짧은 동행 속 나는 인생을 어떻게 살아왔는지, 시시포스처럼 매번 산 아래로 굴러 떨어지는 돌을 다시 밀어 올리려 사는 것인지 반성의 필요성을 느낀다.

3. 오렌지 향기, 오랜 친구 같은 그리고 발렌시아

스페인 여행 관련 서적을 읽을 때면 가끔 아쉬운 점이 있었다. 마드리드, 바르셀로나 그리고 세비야 같은 대도시들과 론다, 그라나다와 같은 소도시들까지 상세히 나와 있는 여행책에도 항상 '발렌시아'라는 도시는 소개가 없다. 설사 있어도 간략한 소개 후 넘어간다는 점이다. 당연하게도 이해가 갈 법한 부분인 것이 일 년 정도 발렌시아라는 도시에서 산 나조차 자랑해야 한다면, 마드리드와 바르셀로나에 이은 세 번째로 큰 대도시 혹은 스페인의 대표 음식은 파에야의 본고장 정도라는 것이다. 자랑할 것이 없는 건 아니지만 그렇다고 무턱대고 보여줄 것이 있는 것도 아닌 도시, 그 도시가 바로 발렌시아였다.

공항에서 지하철을 통해 발렌시아 북 역에 도착한 후 나는 크게 공기를 들이마셨다. 놀랍게도 이곳은 오렌지 나무가 가로수라 크게 공기를 내쉬면 종종 달콤한 냄새를 맡을 수 있다(가로수의 오렌지는 식용으로는 부적합하다). 겨울철임에도 꽤 따가웠던 햇빛을 피하고자 나무 아래 주스 판매 테이블로 피신했다. 즉석에서 오렌지 즙을 내는 기계를 오랜만에 보는 반가운 마음에 무거운 짐을 이끌면서도 다급하게 작은 주스 한 병을 요청했다. 바로 짜서 내게 건네어 준 오렌지 주스 한 모금, 발렌시아에 도착했음을 실감할 수 있었다.

여행 계획에 발렌시아라는 이름을 넣으면서 하고 싶은 것들을 대략 적기만 해 놓고 자세한 계획은 세우지 않았다. 암스테르담이나 말라가와는 다른 이유에서다. 정말이지 꽤 건방져 보이지만 실로 계획이 필요하지 않았기 때문에 세울 생각조차 하지 않았다. 다행스럽게도 이런 말을 할 자신이 있을 정도로 도시를 내 발로 걸으며 곳곳을 누볐기에 가능했다.

몇 년 전, 스페인어를 배우기 위해 찾은 이 도시는 나름의 흥미로운 곳이었다. 마드리드와 그라나다는 지중해가 근처에 없고, 바르셀로나와 말라가는 지나칠 정도로 관광객이 많다. 론다와 카디스는 너무 작아서 흥미가 없었다. 결국 최종적으로 고른 유학 장소가 발렌시아였다. 담당 에이전시는 조금 당황한 기색이 역력했는데 보통은 마드리드나 바르셀로나, 아니면 적어도 말라가 정도를 고르는 것이 평균적이었기에 그랬던 것 같다. 어쨌거나 별 독특한 장점이 없는, 관광객도 적은 도시인 발렌시아가 내게 최고였다고 말하고 싶다.

코로나로 인해 귀국행 비행 편을 구하기 어렵고, 나라는 봉쇄가 되어버려 도망치듯 나왔던 기억이 있지만 발렌시아는 여행이 아니라 또 다른 집으로 돌아온 느낌이었다. 당시 거주하던 셰어하우스 앞 낙서가 가득한 벽이 그대로 있고, 그 길을 따라보면 나오는 마치 한국으로 치자면 반찬 가게라고 부를 수 있는 식당 아주머니도 그대로 계셨다. 그리 긴 기간 살았던 것도 아니면서 뭔 호들갑이냐고 할 수도 있을 것이다. 그러나 홀로 모국어 하나 통하지 않는 타국에서 살아남았다는 생각에 이 도시는 나에게는 하나의 자랑거리로 남아 있다.

그래서 나는 발렌시아를 유럽 여행 중 들를 수 있는 스페인의
여느 한 도시가 아니라, 친정 같은 도시라고 표현하고 싶다.

4. 끝맺음 그리고 시작을 위한

　나름 한국에서도 여행을 적잖이 해봤고, 해외에서도 여러 도시들을 다니면서 길을 잃지 않을 자신이 있을 정도의 경험은 있다고 말하고 싶다(개인적으로 그렇게 믿고 싶다). 말이 거창하지 실상 길은 어찌 되었든 간에 다 이어져 있기에, 마음의 여유를 가지고 걷다 보면 목적지에 다다를 수 있다. 그래도 가끔 유럽의 오래된 도시 중 유독 길이 좁고 미로 같은 구시가지가 존재하는 곳이 있다. 프라하가 딱 그러했다. 크리스마스 기념으로 쓸쓸하지만 나름의 위로로서 크리스마스 마켓을 구경하기 위해 놀러 간 적이 있다. 굳이 지도 앱을 켜지 않고 걷다 보면 나오겠지, 지레짐작하며 여유롭게 도시를 여행했었는데, 프라하는 동유럽의 아름다움을 그대로 간직한 도시였다. 좋게 말하면 아기자기하게 우리가 유럽 하면 떠오르는 이미지 그대로이고 다른 한편으로는 구시가지가 너무 잘 보존되어 있어 하나의 거대한 미로와 같이 길 찾기가 어려웠다.

발렌시아 역시 구시가지를 신시가지가 둘러싸고 있는 형태의 도시이다. 한마디로 이 도시 역시나 구시가지는 매우 복잡하고 미로와 같다는 점에서 비슷하다. 그래서 처음 놀러 온 친구들의 공통적인 반응은 구시가지에서 길을 한참 헤매서 힘들다는 평이 많다. 오랜만에 돌아온 추억의 도시에서 나 역시 길을 잃지 않을까 설레는 걱정을 하며 가고픈 장소를 적은 리스트를 따라 걸음을 옮겼다. 시청 앞대로는 도로를 없애고 공원으로 만들어 놨고, 발렌시아 성당 앞 Plaza de Reina(여왕의 광장)는 공사에 들어갔었다. 그동안의 시차로 생겨버린 낯선 모습을 빼고는 기억하던 모습 그대로였고, 중간중간 기억이 나지 않는 구간이 있더라도 머리가 아닌 그저 발이 이끄는 대로 가다 보니 목적지가 나오는 신비한 마술 같은 일이 벌어졌다.

새벽까지 진탕 놀고 해돋이를 보고 걸어오던 공원 산책길, 아이스 아메리카노가 없어 얼음에 에스프레소를 부어 마시던 카페, 모르는 사람들과 어깨동무하면서 지역 연고 축구팀(발렌시아 FC)을 응원하던 축구 스타디움 앞. 어느 장소 하나 그리워하지 않을 이유가 없었다. 나는 평소 무언가에 대해 특별히 집착한다거나 사색한다든지 그런 성격은 아니다. 그런데도 이렇게 추억에 잠기며 길

171

을 걷다 보니 스스로 묻지 않았던 질문에 답에 도달할 수 있었다. 굳이 올 필요는 없었지만 이렇게 다시 온 이유는 결국 '맺음'과 '시작'이 필요했기 때문이라고. '용두사미'보단 뱀의 머리로 시작해도 끝이 용인 '사두용미'에 가까운 삶을 지향하는 사람으로서 '맺음'이 나에겐 '시작'보다 중요했다. 발렌시아를 떠날 땐 마음의 준비조차 되지 못하고 귀국했었기에 아쉬움이자 하나의 과제처럼 가슴 깊숙이 남아 있었다.

이렇게 좋은 날, 다시 올 수 있어서 새 술을 새 부대에 담을 용기를 얻게 되었다.

173

5. 미안해 폴, 독일은 못 갈 거 같아

DETECCION DEL SARS-CoV-2 MEDIANTE PCR FAST

DETECTION OF SARS-CoV-2 BY PCR

RESULTADOS/RESULTS

RT-PCR CORONAVIRUS SARS-CoV-2: **POSITIVO**/POSITIVE

Si tu resultado es positivo, puedes conocer la variante de contagio. Para ello, ponte en contacto con nosotros dentro de las próximas 24h para que podamos volver a analizar tu muestra y detectar la variante de la Covid-19.

¿Cómo proceder?
Llama al 963 400 900, solicita un análisis de la variante, y en un plazo no superior a 48h te enviaremos el resultado a tu correo electrónico.

Para saber por qué es importante conocer la variante, visita nuestra página
https://clinicasascires.com/especialidades/pcrvariant o escanea el siguiente código:

'오늘 뮌헨에 몇 시에 도착하는 거야?'

'저기 폴, 문제가 생겼어.'

'미안해, 코로나가 걸려서 독일 못 갈 거 같아'

'Mist! (제길!)'

나는 웬만해서는 입맛을 잃지 않는다. 꼬마 시절부터 아플 때도 죽을 먹기보단 된장찌개에 밥 한 그릇 뚝딱하는 것이 빠르게 건강을 회복한다고 믿었다. 그래서 입맛을 잃었다는 건, 나에게는 어울리지 않는 표현이라고 생각했다. 하지만 이번 여행 중 입맛을 잃어버린 날들이 있었는데, 더 정확하게는 미각을 잃어버렸다는 것이 올바른 표현일 것 같다.

174

덩치는 컸어도 기관지가 나름 연약해서 연례행사와 같이 목감기에 걸리는 게 으레 있던 일이었다. 세비야 가기 위해서 암스테르담과 말라가를 거쳐 무리했던 날 목이 간질간질하고 몸이 약간 으슬으슬한 기운을 느꼈다. 백신에 마스크도 나름 잘 쓰고 다녔는데 설마 코로나겠냐는 안일함에 걱정은 하지 않았다(사실 코로나 검사 키트에서도 음성이었기에 그랬는지도 모른다). 세비야 마지막 날 저녁, 레스토랑의 스테이크를 먹었을 때부터 이상하게도 맛이 잘 느껴지지 않았다. 지금 와서 생각해본다면 피곤해서 입맛이 없던 게 아니라 미각을 잃어버린 것이었지만 설마 하는 생각과 믿고 싶지 않다는 무의식의 결과로 나는 미래의 고생할 나에게 실수하고 있었다.

오랜 시간을 할애해서 원하던 바도 이루고 휴양까지 했던 발렌시아를 떠나기 위해 공항에 도착한 직후. 독일에 사는 친구에게 리스본을 거쳐서 뮌헨에 갈 예정이니 이따 보자고 문자를 남겼다. 이렇게 끝났으면 참 좋았겠지만, 이번 여행의 마지막 하이라이트는 여기서부터 시작이라고 보면 될 것 같다. 리스본과 뮌헨에 가기 위해서 거금 13만 원이나 주고 한 신속 코로나 테스트에서 양성이라는 글자가 떠버린 것이다. 코로나 양성 판정을 받은 후로는 모든 일은 꽤 재미있게 흘러갔는데, 먼저 벤치에 앉아 10분 동안 멍을 때렸다. 이런 어처구니없는 일들을 하도 많이 당한 경험이 있기에 나의 뇌는 철저한 자기방어를 하기 위해서 단련되어왔다. 그 결과가 바로 멍때리기였다. 그사이 무척이나 심란해하고 있는 내게 친절했던 검사관이 다가왔다. 동정까진 바란 건 아니지만 당황해하고 있는 나에게 위로라도 해주리라 생각했지만, 공항 내 시설에서 검사 받았기 때문에 당장 떠나라는 통보하기 위해 날 찾아온 것이었다,

잠잘 곳 없음, 여비도 다 떨어져 감, 코로나 검사 값 날림, 항공권 2장 날아감. 그리고 친구 역시 보지 못하게 됨. 최악이었다. 머릿속에서 여러 소리가 들려왔다, 그렇게도 가지 말랬는데 굳이 여행가니 이런 꼴이 나는 거다. 이거 어떻게 하지. 부모님께는 뭐라고 해야 하나. 기다리고 있는 친구는 어쩌지. 항공편은 남아 있나. 집에는 갈 수가 있나. 결국 숙소를 급하게 구한 그 길로 한동안은 보지 못할 것 같았던 발렌시아에 다시 돌아가는 지하철에 올랐다.

6. 바르셀로나 산츠 역

Positivo (양성 판정)

단어 뜻은 참 좋은 것 같다는 실없는 소리가 나왔다. 미국인인 여자 친구는 내게 우울해하지 말고 곧 음성이 나올 테니 긍정적으로 지내라는 아메리칸 특유의 희망찬 응원을 보냈다, 참으로 웃긴 것이 'Stay positive'를 연신 말하는 이 순간 가장 필요한 단어는 'Negatico(음성 판정)' 이니 말이다.

연예인 노홍철은 과거 모 방송에서 행복해서 웃는 것이 아니라 웃기 때문에 행복하다고 했듯, 거울을 보면서도 행복하게 웃는 연습을 했다. 반쯤 미쳤나 싶지만 이렇게라도 하면 빨리 낫지 않을까 싶었다. 이런 노력에도 결국 음성 판정을 얻지 못하고 발렌시아를 떠난 나는 한국 귀국 행 항공권을 비교적 구하기 쉬운 엘프라트 공항이 있는 바르셀로나행 야간 기차에 올라탔다.

바르셀로나 산츠행 사람이 아무도 없는 한적한 야간 기차 안, 발렌시아의 사설 검사 기관에서 이메일로 보내온 검사 결과에는 다시 양성이 떴다. 착잡한 마음에 일말의 희망으로 영사관에 전화를 걸었다, 결과적으로는 큰 도움을 받진 못했다, 그래도 나에게 최대한 긍정적으로 있으라는 플라세보 효과에 가까운 따뜻한 위로를 해주었다, 계속되는 긍정적으로 있으라는 위로에 그 어느 때보다 긍정적인 나에게 어디까지 긍정을 시험하려는 건지 이쯤 되니 궁금해졌다.

이런 상황에 숙소 역시 잘못 결제하는 바람에 바르셀로나 산츠 중앙역에서 새벽을 꼴딱 세우고 아침은 돼야 입실이 가능했다. 설상가상으로 기차역은 새벽 1시부터 6시까지 청소를 위해 폐쇄할 예정이라 전부 다 나가서 기다려야 한다는 역무원 설명. 말 그대로 난, 추운 겨울날 길바닥에 나앉아버렸다.

"Puedes darme un Malboro?" (말보로 담배 한 대 줄 수 있니)"
"Sí." (그래)

같이 역에서 쫓겨난 인도인으로 보이는 여행객에게 담배 한 대 빌릴 수 있는지 요청했다. 술은 몰라도 담배는 있을 것 같은 인상이었다. 스페인에서 새벽에 여행하거나, 늦게까지 파티를 즐긴 적은 있었어도, 겨울날 길바닥에 신문지 하나 깔고 앉아서 담배 피워본 적은 없기에 실소가 나왔다. 이런 실소에 중년의 인도 남자는 궁금했는지 이것저것 물어보는 것이 많았다. 시간이라면 넘치도록 있었고 담배도 흔쾌히 준 사람이었기에 여행 초반부터 코로나에 걸려 집에 돌아갈 비행기를 놓친 나의 여정을 들려주었다.

"괜찮아 아직 너 젊잖아."

"인도에선 어떤 어려움 속에서든 의미를 찾을 수 있다는 말이 있어, 걱정하지 마."

이야기를 모두 들은 그는 인도인 특유의 여유로운 표정으로 좋은 말을 해준 후, 따뜻한 차 한 잔 마시더니 그 길로 택시를 잡고 시내로 향했다. 아직 젊다느니, 의미를 찾을 수 있다느니 하는 그런 얘기는 보통이라면 사양했겠지만, 한산한 새벽에 시간도 많이 남아 있었기에 그가 떠나고도 곰곰이 생각할 주제였었다.

한국에서 살면서 느낀 건 참으로 다들 열심히 사는 것이다. 대학 동기들은 대부분 졸업했고 친한 친구들은 기업의 인턴이 되어, 혹은 정직원으로 출근하는 경우도 많았다. 그들 사이에 속하려면 무언가라도 하는 듯해 보여야 했다. 딱히 뭘 한 것도, 거창하게 이룬 것 하나 없지만 이렇게 겨울날 역전에 쫓겨 길바닥에 나앉아서 노숙하는 경험을 가진 친구는 없다는 생각이 들었다.

그래도 이렇게 노숙하니 서러운 감정이 들었다. 직접적으로는 이런 꼴을 당해서 그런 것도 있겠지만, 친구들과 점점 비교하고 보니 부러워하지 않으려고 괜찮은 척하고 있는 나를 발견했기 때문이다. 화룡점정으로 찬 길바닥에서 담배 한 대나 피우는 상황. 쓸데없는 자기 연민과 뜻밖의 자아 성찰의 시간을 가지니 머릿속에는 흐릿하게나 목표가 보였다. 누가 뭐라 하든 나 하고 싶은 거 하자, 그리고 잘 살자. 그 즈음부터 동이 트기 시작했다.

바르셀로나 산츠 역 앞, 공원에 있는 넓은 분수에 햇빛이 반사되어 눈을 부시게 했다. 아침 조깅하는 사람들이 한둘 나오는 공원에서 다시 힘이 돋아나는 것을 느꼈다, 더 재밌게 살아야겠다는 생각이 강하게 든다.

P.S. 인도 아저씨와 더불어 추운 겨울날 담배 같이 피워준 바르셀로나 산츠역 앞 노숙인 아저씨에게도 감사의 말을 올린다..

7. 타파스하고 맥주 한 잔 주시겠어요?

스페인은 격리가 의무인 나라는 아니기에 자유롭게 돌아다녀도 되지만 혹시나 있을 불이익에 조심하라는 영사관의 전화를 받았다. 나름의 공중 보건의 의무를 갖고 확진 판정 이후 몇 일간 양심상의 격리를 했다. 귀국 예정일 하루 전, 고대하던 음성 판정서를 받은 나는 격리로 의미 없게 지난 시간이 아쉽기도 하고 긴 여행을 끝내는 자축의 시간이 필요했다.

바게트 한 조각 위에 셰프들의 위트와 유머 그리고 예술적 감각을 보여주는 한입 안줏거리. 타파스와 핀초로 스페인의 요리는 설명되곤 한다. 바르셀로나는 대표 관광지답게 타파스 맛집들이 즐비해 있다. 짧게라도 고민할 시간조차 아까운 나는 단골 타파스 바와 오랜 감이 말하는 맛집들을 향해 길을 나섰다, 숙소는 타파스 맛집 거리 중앙에 자리 잡고 있었고, 유명 맛집들 또한 군데군데 보였다. 음성 판정 받은 기쁨에 바로 뛰어 들어간 곳은 '뀌멧뀌멧'이라는 타파스 바. 알려질 대로 알려진 유명한 곳임은 한국에나

와서야 알게 됐지만, 그저 사람들이 많고 좁지만 예쁜 가게였기에 맛집 같아 보여 들어간 것이 전부였다. 한국 손님이 많이 방문했다는 것을 방증하듯이 주인장은 친절하게도 추천과 함께 한두 마디의 어설프지만 제대로 배운 한국어를 내게 뽐냈다.

"Hola, no tengo mucho tiempo entonces dame una tapas lo mas famosa y una cerveza por favor." (올라 노 땡고 무초 띠엠포 엔똔세스 다메 우나 타파스 로 마스 파모사 이 우나 쎄르베싸 포르 파보르)

"Salmon, yogurt y miel con trufada es bien." (살몬 요구르트 이 미엘 꼰 트루파다 에즈 비엔)

"Si, se parece bien" (씨, 쎄 빠레세 비엔)

"안녕하세요, 시간이 없어서 그런데 타파스 하나하고 맥주 한 잔 빠르게 주시겠어요?"

주인장이 추천한 꿀 연어 요거트 트뤼프 타파스(메뉴엔 오픈 샌드위치로 표기함)는 친절하지만 어설펐던 한국어 실력과는 다르게 예술적인 맛이었다. 빵은 바삭했고, 부드러운 요거트를 바탕으로 꿀에 절인 연어와 트뤼프는 조화로웠다. 곁들였던 한 잔의 맥주는 느끼함을 잡아주어 더할 나위 없었다. 좁은 가게는 곧장 사람들로 가득 차서 시끌벅적 해졌다. 한국과는 다르게 스페인에선 술을 마신 후 눈을 마주쳐도 싸우러 드는 것이 아닌 안부를 묻고 서로에 대해 궁금해하기 때문에 혼자 왔어도 나갈 때는 친구를 만들고 나갈 수도 있었다. 꿀 연어 타파스, 참치 타파스, 꿀 대구조림, 하몽, 판 콘 토마테 등등 먹고 죽은 귀신이라도 될 셈이었는지 아니면 화풀이였는지 모를 한바탕의 폭주. 문득 무슨 생각이었는지 나는 마지막으로 사그라다 파밀리아 성당으로 향했다. 성당 근처 타파스 바에서 마신 마지막 맥주엔 시원한 탄산보다는 곧 떠난다는 아쉬움에 씁쓸함만이 가득했다.

나이가 들어서는 시간 있고 돈도 있어도, 체력이 없어 여행을 못 간다는 생각과 돈 주고도 바꾸지 않을 귀중한 경험을 했던 여행을 마치며 사그라다 파밀리아 성당 앞 벤치에서 조용한 노래를 틀고선 생각을 정리하는 마지막 날이었다.

4장 다시 한국에서

1. 서로 다른 자리에서

아무 일도 없다는 듯, 한국에서 다시 일상이 시작됐다. 이번 여정 중 겪었던 수많은 일들은 마치 남이 겪은 일과 같이 멀어지는 것을 피부로 느끼며 다시 본래의 일상으로 돌아갔다. 네덜란드에서 다시 만나자며 쿨하게 먼저 떠난 정익이는 결국 일정이 틀어져 유럽에서 만나지 못했다. 그렇게 정익이는 국방의 의무를 지고 군대에 가 있다. 스페인에서 돈이 거의 없어 힘들게 생존했던 유찬이는 다시 대학으로 돌아가 수업을 들으며 지낸다.

'여행이 우리에게 남기고 간 것은 무엇이었을까?'

단지 술자리에서 떠들 추억거리 하나 만들자고 떠난 여행일 수도 있다. 포스트 코로나 시대에 누구보다 먼저 해외로 나가 누구도 하지 못할 힘든 여행을 했다며 자위하기도, 여권에 도장 몇 개 더 찍었다며 좋아할 거리가 되었을 수도 있다. 하지만 그렇게만 생각했다면 위험을 감수하며 떠나지도 괜히 사서 고생하지도 않았을 것이다. 거친 파도는 유능한 사공을 만든다. 나는 부모 세대와 비교해서 무엇 하나 부족하지 않게 넉넉히 자라왔다. 남들이 하는 거, 먹는 거, 입는 것 무엇 하나 부족하지 않은 것 없었다. 그래서 내게 결핍이라는 건 존재하지 않았다. 그래서인지 어려서부터 여러 캠프나 체험 다니며 부모님은 내게 결핍을 만들어 주려고 하셨던 것 같다. 다 큰 지금 난 스스로 그것을 만들어야 함을 느낀다. 결핍이 있어야 사람은 성장하기 때문이다.

친구 중 몇몇은 나에게 그렇게 해외여행을 갈 돈이면 차라리 명품을 사겠다고 말한다. 참으로 현명한 판단이다. 사서 고생하는 것보단 확실한 행복인 명품을 사는 것이 좋은 방법이다. 그래도 다시 나에게 여행을 갈지 명품을 살지 고를 기회가 있다면 주저 없이 여행을 택할 것이다. 채워도 채워지지 않는 독에 물을 붓는 것보단 조금이라도 물이 차는 독에 물을 붓는 것이 낫지 않겠는가. 아직 내 인생은 20km로 달리고 있다. 그리고 점점 빨리 인생이라는 차가 달려가고 있음을 더욱 실감하는 요즘이다. 앞으로의 장기적 수를 생각해본다면 이런 여행을 통해 삶을 경험하고 친구를 만들고 인생을 사는 법을 깨우칠 수 있다면 비용 대비 괜찮은 수업이라도 생각한다.

2. 우리가 여행을 기억하는 법

정익이가 휴가를 나오면서 유럽 여행 이후 오랫동안 만나지 못했던 수정찬(수연, 정익 그리고 유찬)은 즉흥적으로 유럽 여행을 계획했던 종로 3가 순대곱창 집에 다시 모였다. 참으로 웃긴 일이다. 오랜만에 찾은 단골집이지만 몇 달 사이 우린 무엇인가 엄청난 일들을 하고 왔으니 말이다. 남들에겐 아무 일도 아니어도 우리 인생에선 꽤 큰일이었다.

동네에서 맥주 한 캔을 마시며 앞으로 무엇을 할지, 여행을 통해 무엇을 느꼈는지를 허심탄회하게 얘기하는 시간을 가졌다. 유찬이는 유튜브에 우리 여행 영상을 편집해서 올려보고자 했고, 나는 우리 여정을 책으로 남겨보면 좋겠다고 생각했다. 슬프게도 정익이는 군대에서 하루하루가 힘들어서 아직 그런 것을 생각할 겨를이 없었지만 말이다.

흔히 여행하면서 남는 건 사진밖에 없다고 말들을 한다. 비디오로 남기고 사진으로 남겨서 볼 때면 당시가 생각이 나기 때문이다.

영상을 통해 사진을 통해 그 순간을 기억하는 것도 좋은 방법이다. 그래도 이렇게 친구들과 다 같이 글을 쓰면서 당시 겪었던 감정에 대해 솔직하게 써 내려가는 방법은 마치 바둑기사가 대국을 복기하는 것과 같다고 생각한다. 악수였다면 복기를 통해 다시는 실수하지 않을 것이고, 무언가 깨달았거나 좋은 수였다면 앞으로도 이런 수를 둘 수 있도록 노력해야 함을 글을 쓰면서 다시금 생각한다.

몸으로 부딪쳐가며 배운 것들을 쉽게 잊어버리고 싶지 않기에, 이렇게 글을 쓰면서 무언가 하나 더 배워 나간다.

에필로그-김정익

확진자도 7일이면 격리 해제인데 비싼 PCR 음성확인서까지 들고 있는 해외입국자는 왜 더 오래 격리해야 되는 걸까? 입대 전 하루하루가 너무 소중했기 때문이니 이런 푸념도 이해해 주길 바란다. 다행히 예정보다 하루 일찍 격리가 해제되어, 유찬이를 입대 전날 빡빡머리 상태로 만났다. 수연이와는 격리로 아쉽게 만나지 못했고, 다만 그가 남기고 간 카사 로레아 NO.3 샹그리아를 마신 기억이 마지막이다. 그렇게 난 여행 후 멀게 느껴졌던 군 복무를 연천에서 시작했다.

약속 받은 PCR 재검사 비용 150유로를 환불받기 위한 5번의 이메일 문의와 3달의 기다림은 결국 실패했다. 대신 얻어낸 유효기간이 2년인 터키항공 바우처. 더불어 파리에서 사용하지 못한 세느강 바트무슈 유람선 바우처도 아직도 남아있다. 시간은 남아 있기에 스케줄러에 지난 여행 때 아쉬웠던 위시리스트를 적어 놨다. 세비야와 그라나다부터 몽마르뜨 언덕, 런던 웨스트엔드 뮤지컬, 프렌치 다이닝, 피시 앤 칩스, 카사로레아 NO.4까지. 이게 끝이 아니다. '미워도 다시 한 번'이라는 다소 무서운 말이 있다. 여행 중 모든 것을 걸었던 아스널 FC의 2023년 부활을 응원하며 이것 역시 위시리스트에 넣어뒀다.

다시 유럽으로 떠난다 해도 아마 우리 셋은 함께 하지 못할 확률이 높다. 하지만 다시 할 수 없었던 여행이라고 자부하고 싶다. 우리 셋의 공동여행과 각자의 입맛에 맞췄던 개인 여행의 조화. 어디서든 기다림 없는 관광지와 비행기 비즈니스석 못지않게 넓게 자리를 썼던 일명 '눕코노미석'. 아직 핸드폰에서 지우지 못한 유럽 기차 티켓 어플 'Omio'와 스위스 백신 패스. 여운이 남아있는 여행. 다시 할 수 있을까? 단언컨대 이런 여행 다시는 없을 것이라 나는 자신 있게 말한다.

대체 뭘 얻었는지 묻는다면 말로 형용하기 쉽지 않다. 많은 추억을 쌓기도 했지만 '백문이 불여 일견'이라는 격언을 피부로 느꼈다. 무지해 그저 등한시하고 있지만 인구 세계 1위에 IT, 과학, 정치 분야 등에서 세계 3위가 될 것으로 예상되는 인도의 파워를, 여행과 시작과 끝인 기내 양옆 좌석에서 실감한 것이 그 예다. 런던 여행 중 트라팔가 광장의 노마스크, 코로나 백신 의무화 반대

시위대에 도망치듯 치폴레 멕시칸 그릴 매장에 들어갔었다. 부리또 토핑을 고르고 탄산음료와 계산하려는 찰나 직원이 결제는 나중에 하고 일단 먹고. 음료수도 알아서 꺼내 가라고 한다. 배가 고팠기에 직원 말대로 맛있게 먹었다. 식사를 마치고 결제를 위해 다시 카운터에 갔다. 그런데 결제할 필요 없이 그냥 가면 된다는 거다. 이례적인 일이라 정말 가도 되냐고 되묻기까지 했다.

해당 치폴레 매장은 컨택트리스, 카드 결제 전용 매장이라 카운터에 현금이 아예 없었는데 시스템 오류로 결제 자체가 안되는 상황이었던 것이다. 결국 13000원어치 치폴레를 무전취식 했다. 이 해프닝은 내게 세 가지 생각을 하게 만든다. 일단 코로나 확산세가 잦아든 지금 돌아보면 마스크에 지나치게 집착하며 퍽 유난 떨었던 여행이었다는 점이다. 또한 치폴레의 결제정책이 현재 한국에서 운행하고 있는 '현금 없는 버스'부터 이케아를 필두로 한 '현금 없는 매장' 상용화까지 머지않은 미래이며 시대의 흐름임을 미리 실감케 해줬다. 동시에 카카오 먹통 사태 전부터 불완전한 시스템 안정화와 취약한 사이버 보안 강화가 미래산업의 핵심 선행 과제임을 깨달았다. 빠르게 변화하는 글로벌 사회에서 앞서서 깨우치고 사고할 수 있는 것. 이보다 큰 자산이 있을까.

세상은 넓고 사람들은 다양한 방식으로 살아가고 있었다. 문화적 체험을 통해 세상을 넓게 바라보는 시각. 해외에 나가보지 않으면 알기 어려울 것이다. 상상하기조차 힘들 것이다. 생각과 행동 자체가 갇혀버릴 것이다. 경험치의 차이다. 정익, 수연 그리고 유찬까지. 우리 셋은 이번 여행을 통해 삶을 대하는 태도와 행동이 한층 자유로워졌음을 느낀다. 그렇게 난 포천 군부대 철조망 안에서, 또다시 유럽을 꿈꾼다.

유럽 대신 다녀와 드릴게요

발 행 | 2024년 02월 22일

저 자 | 수연, 정익, 유찬

펴낸이 | 한건희

펴낸곳 | 주식회사 부크크

출판사등록 | 2014.07.15.(제2014-16호)

주 소 | 서울특별시 금천구 가산디지털1로 119 SK트윈타워 A동 305호

전 화 | 1670-8316

이메일 | info@bookk.co.kr

ISBN | 979-11-410-7309-1

www.bookk.co.kr